JN064878

1日1テーマ
解けば
差がつく

大人の教養ドリル

佐藤優
［監修］

きずな出版

はじめに

近年、リベラルアーツという学問が注目されているが、もともとはギリシャ・ローマ時代の「自由7科」（文法・修辞・弁証・算術・幾何・天文・音楽）に起源を持つ。現代では教育機関に限定せず現代人が社会で生きていくために必要不可欠な一般教養を指すことが多い。

では、なぜリベラルアーツが必要なのか。それは幅広い教養を持つことは多様なものの見方を可能にしてくれるからだ。とくにグローバル化とIT化が進み、世界中の人たちとコミュニケーションをとる必要に迫られ、異文化への理解をいままで以上に要求される現代のビジネスパーソンにとって、リベラルアーツはもはや必須のスキルと言っていいだろう。

しかし、リベラルアーツを身につけるには一朝一夕というわけにはいかない。例えば、歴史や古典文学、哲学などは深堀りしようと思えば、いくらでも深堀りできる。

そこで、**本書は膨大な知識の集積であるリベラルアーツを前にして、何から学べばいいかわからず途方に暮れている人のために、入門書的な役割を果たすことを企図してつくられた。**

しかも、より効果的に、しかも楽しみながら学ぶために、本書は毎日少しずつ学べる書き込み式のドリル形式の体裁を取っている。

ただ漫然と本を読むだけよりも、リベラルアーツの基礎的な問題を自分で考え、手を動かして実際に解いたほうが着実に知識が身につくはずである。しかも、各設問には詳細な解説が付いているので、それを読むことによってさらに理解が深まるだろう。

本書は政治、美術、世界史、日本史、宗教、経済、哲学・思想、科学、文学、地理の10のジャンルに分かれているが、どのジャンルから読み始めても問題ないようにつくられている。掲載順に冒頭から読んでもいいし、自分の興味の赴（おもむ）くままに読み進めても構わない。**大事なのは楽しみながら学ぶこと。**本書を読むことで、毎日少しずつ自分の教養が深まっていることを必ずや実感するだろう。

本書のドリルを解き終えたら必然的にリベラルアーツの総体が浮かび上がってくるだろう。そして、それは必ずやあなたの思考様式や価値基準に影響を及ぼし、結果的にビジネスシーンや日常生活などの様々な場面で、あなたの行動に幅広い選択肢を示してくれるだろう。

本書を読むことであなたの世界に対する知見がより深まり、寛容かつしなやかな思考と感性で、日々の生活を営（いとな）むことができることを願ってやまない。

佐藤優

撮影：森清

大人の教養ドリル

CONTENTS

経済

哲学・思想

科学

文学

地理

◉本書の使い方と特長

本書は、一般教養を身につけるために必要な10ジャンル、「政治」「美術」「世界史」「日本史」「宗教」「経済」「哲学・思想」「科学」「文学」「地理」を網羅した問題集です。より着実に知識を身につけるために、入門書的な基礎的な問題を、自分の手で実際に「答えを書き込んで解く」ことを重視しています。

※本書は2021年9月までの情報で構成されています。

10ジャンルの掲載順でも途中のジャンルからでも、どこから解き始めても問題ない構成

政治

政治① 日本国憲法

実践日　　年　月　日

正答数　／15点

問1

日本国憲法の条文で、空欄に入る語句を選択肢から選びなさい。

第1条　天皇は、日本国の（①　　　）であり日本国民（②　　　）の（①）であって、この地位は、主権の存する日本国民の総意に基く。
第3条　天皇の国事に関するすべての行為には、（③　　　）の助言と（④　　　）を必要とし、（③）が、その責任を負ふ。
第14条　すべて国民は、法の下に（⑤　　　）であって、人種、信条、性別、社会的身分又は門地により、政治的、経済的又は社会的関係において、（⑥　　　）されない。
第26条　1）すべて国民は、法律の定めるところにより、その能力に応じて、ひとしく（⑦　　　）を受ける権利を有する。2）すべて国民は、法律の定めるところにより、その保護する子女に（⑧　　　）を受けさせる義務を負ふ。義務教育は、これを（⑨　　　）とする。

選択肢

内閣　承認　象徴　統合　普通教育　無償　平等　差別　教育

問2

日本国憲法における基本的人権について、空欄に入る語句を選択肢から選びなさい。

基本的人権が完全に保障された日本国憲法は、世界でも先進的な憲法の一つとされる。日本国憲法では、大日本帝国憲法下の法律の留保を排して、人が生まれながらに持っている（①　　　）権の思想に立ち、基本的人権を「侵すことのできない（②　　　）の権利」と定めている。また、大日本帝国憲法よりも学問の自由、良心の自由などの（③　　　）権が拡大され、社会的弱者が実質的な平等を要求する権利の（④　　　）権も加えられた。また、大日本帝国憲法の華族制度、男女不平等は極力排され、法の下の（⑤　　　）を実現しようとしている。基本的人権の保障という点でも、違憲法令（⑥　　　）によって憲法が守られることが確保されている。

選択肢

平等　審査　自然　永久　自由　社会

正解／解説・補足

問1　①象徴　②統合　③内閣　④承認　⑤平等　⑥差別　⑦教育
⑧普通教育　⑨無償

問2　①自然　②永久　③自由　④社会　⑤平等　⑥審査

大日本帝国憲法と日本国憲法

プロイセン憲法を模範につくられた大日本帝国憲法は、天皇によって定められた**欽定憲法**（きんてい）。日本国憲法は、国民によって定められた**民定憲法**。

2つの憲法の最も顕著な違いは、天皇の権力と地位である。

大日本帝国憲法では天皇大権が認められ、立法・行政・司法の三権が天皇の名の下に行使されていた。

一方、日本国憲法は**「国民主権」**の理想のもとに起草されたもので、国民に認められる権利の範囲が拡大され、兵役（へいえき）の義務がなくなっている。

日本国憲法下の天皇と普通教育

大日本帝国憲法では、万世一系（ばんせいいっけい）の天皇が日本を統治するとされていたが、日本国憲法では天皇は日本国および日本国民統合の「象徴」となり、政治権力を失った。これを**象徴天皇制**という。

日本国憲法下の天皇には、内閣総理大臣や最高裁判所長官の任命権があり、天皇の国事行為は内閣が助言と承認を必要とする。

第26条の**普通教育**とは、職業的、専門的な教育ではなく全国民に共通する一般的、基礎的な教育のことを表す。

日本国憲法が保障する基本的人権

日本国憲法第11条には、**「国民は、すべての基本的人権の享有（きょうゆう）を妨（さまた）げられない。この憲法が国民に保障する基本的人権は、侵（おか）すことのできない永久の権利として、現在及び将来の国民に与へられる。」**とある。

基本的人権には、他の誰にも譲り渡すことのできない「固有性」と、国家以前の自然法に基づいて付与されたがゆえに国家権力にも侵すことができないという「不可侵性」、すべての人間が平等に享受すべきであるという「普遍性」を備えているとされる。

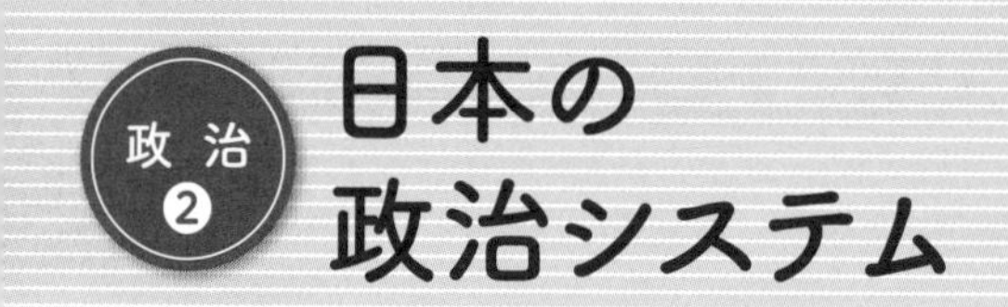

政治❷ 日本の政治システム

実践日　　年　月　日

正答数　　／13点

問1

日本の三権分立と政治機構について、空欄に入る語句を選択肢から選びなさい。

日本国憲法では、次に挙げる規定によって「三権分立」を政治機構の基盤としている。まず、「国会は（①　　　）の最高機関、国の唯一の（②　　　）機関」である（第41条）とし、「（③　　　）権は、内閣に属する」（第65条）、また、「すべて（④　　　）権は、（⑤　　　）裁判所および下級裁判所に属する」（第76条）としている。

日本国憲法下の日本では、イギリス型の（⑥　　　）内閣制を採用し、立法部が行政部に優越することを認めている。また、日本国憲法には、中央と地方との権力分立を定めるために地方（⑦　　　）の章が別途設けられている。

選択肢

最高　議院　立法　行政　自治　国権　司法

問2

衆議院と参議院の構成を示す図の、空欄に入る語句を選択肢から選びなさい。

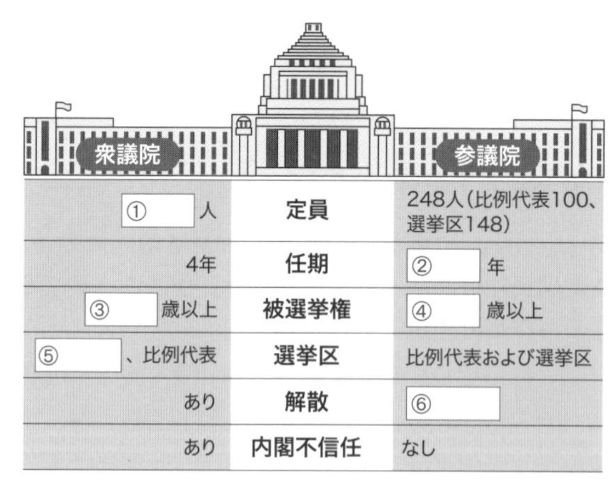

衆議院		参議院
①　　人	定員	248人（比例代表100、選挙区148）
4年	任期	②　　年
③　　歳以上	被選挙権	④　　歳以上
⑤　　、比例代表	選挙区	比例代表および選挙区
あり	解散	⑥
あり	内閣不信任	なし

※2022年の参院選から

選択肢

465　620　6　3　25　30　小選挙区　中選挙区　あり　なし

正解／解説・補足

問1　①国権　②立法　③行政　④司法　⑤最高　⑥議院　⑦自治

問2　①465　②6（3年ごとに半数改選）　③25　④30　⑤小選挙区　⑥なし

国民に人権を保障するための三権分立

三権分立とは、「立法」「行政」「司法」の3つの権力が分立することによって、国家権力が一点に集中しないようにし、国民の人権が保障されるようにする政治の仕組みのこと。

「国権の最高機関」は国会

三権は互いに完全に対等な権力を有しているわけではなく、立法権を持つ国会が「国権の最高機関」とされる。

その理由は、日本国憲法の基本理念である国民主権により、国会は国民に直接的に選ばれた議員たちによって運営されているからである。

民意を正確に反映する二院制

日本では、イギリス、アメリカ、ロシアなどと同じく**「二院制」**が採用されている。

二院制の長所は、選挙制度の異なる2つの議院があることで、より民意を正確に反映することができること。第一院における多数派の暴走を第二院がけん制、批判、修正を迫ることができること。そして、緊急事態等により第一院が機能不全に陥（おちい）った場合に、第二院が処理に当たれることが挙げられる。

国会議事堂

民主主義と選挙

実践日　　年　月　日

正答数　／13点

問1

日本の議会制民主主義と政党政治について、括弧内の語句が正しければ○を、誤りがあれば直しなさい。

明治維新後の近代化のプロセスで政党は誕生したが、藩閥（はんばつ）や軍部による政治の私物化が横行し、1940年には（①内閣）によりすべての政党が解散させられ、（②大政翼賛会）に吸収された。戦後は、それまで禁止されていた（③社会党）が初めて合法的な政党として認められ、（④保守合同）により自由民主党が誕生した。自民党と、革新勢力である（⑤共産党）との二大政党制が始まったが、革新勢力の議席は自民党の3分の1でしかなく、実質的には自民党の単独政権だった。これを（⑥45年体制）と呼ぶ。その後は、多党化の時代、政界再編を経て、（⑦自公連立内閣）の時代へと至る。

①	②	③	④
⑤	⑥	⑦	

問2

国民の政治参加について、空欄に入る語句を選択肢から選びなさい。

（①　　）主権に基づく民主政治では、国民の意思が強く反映される（②　　）が大きな力を持つ。（②）は、特定の個人や集団だけが有する意見ではなく、社会の多数の構成員が同意し、支持する見解のことである。19世紀までは（③　　）選挙制であったため、特権的な一部の人々しか政治参加は許されなかったが、20世紀に入って、（④　　）選挙制が実現したことで、多種多様な人々が参政の機会を得た。また、資本主義の発達によって生活も多様化し、（⑤　　）や圧力団体などが世論形成に大きな役割を担うようになった。しかし、（⑤）は民間の営利企業であるため、商業主義に走りやすく、権力者などに利用されて、（⑥　　）に加担する可能性もあるという問題点がある。

選択肢

ロビイスト　世論形成　国民　言論　世論　普通　制限　マスメディア　世論操作

正解／解説・補足

問1　①内閣→軍部　②○　③社会党→日本共産党　④○　⑤共産党→社会党　⑥45年体制→55年体制　⑦○

問2　①国民　②世論　③制限　④普通　⑤マスメディア　⑥世論操作

政党の政治的機能と問題点

政党には様々な政治的機能がある。例えば、政治問題を政策や綱領（こうりょう）としてまとめ、ホームページや国会などで宣伝することで、国民の政治に関する知見を広げて啓蒙（けいもう）したり、国民一人ひとりの意思や要望をまとめ、世論を多数派として議会で実現させることができる。

しかし、日本の政党は、派閥、世襲（せしゅう）議員、族議員といった、多くの問題も抱えている。

現在の日本の選挙は「小選挙区比例代表並立制」

現代の日本の衆院選では**「小選挙区比例代表並立制」**が採用されている。これは、有権者が1つの選挙区から1人の立候補者を選ぶ小選挙区選（定数289議席）と、支持する政党を選ぶ比例選（定数176議席）を組み合わせた仕組みである。小選挙区選の投票用紙には候補者名を記入し、比例選の投票用紙には政党名を記入して投票する。

小選挙区制だけでは小さな政党にとって不利であるほか、**死票**（しひょう）（落選した候補者に投じられた票）が多くなる。そのため、小選挙区制のそうしたデメリットを補（おぎな）うためにこの制度が採用されているのである。

メディア・リテラシーと政治への無関心

情報化社会の現代では、世論形成においてマスメディアが果たす役割は大きい。しかし、マスメディアが報道する内容が必ずしも正しく、偏向（へんこう）していないという保証はない。

そのため、国民一人ひとりが情報の「受け手」として、その正誤を自ら判断して取捨選択する能力（**メディア・リテラシー**）が必要となる。

また、教育やマスメディアが広く普及したにもかかわらず、政治に関心を持たない無関心層の存在も、日本の政治が抱える問題としてある。

領土・領海・領空

問1

北方領土の図を見て、正しい島の名前を選択肢から選びなさい。

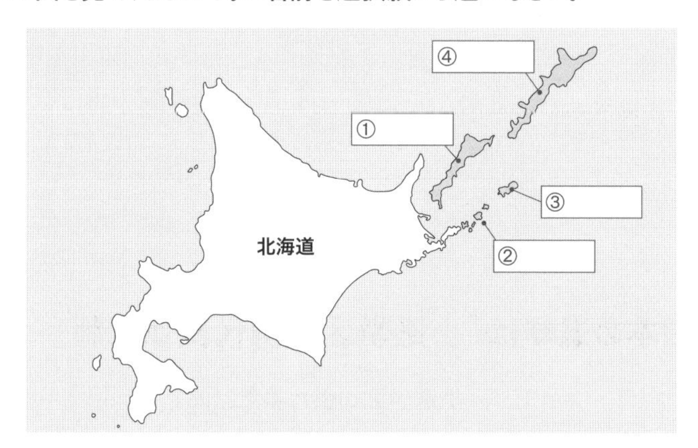

選択肢

択捉島　国後島　歯舞群島　色丹島　樺太

問2

尖閣(せんかく)諸島について、空欄に入る語句を選択肢から選びなさい。

沖縄県（①　　　）島の北方約170kmに浮かぶ尖閣諸島は、1895年に沖縄県に編入され、沖縄県（①）市に所属し、諸島の中で最も大きな島は（②　　　）である。1952年のサンフランシスコ平和条約で、日本政府は「(③　　　）及び澎湖(ほうこ)諸島」の領有権は放棄したが、日清戦争後に締結された（④　　　）条約により割譲された尖閣諸島は、「台湾及び澎湖諸島」には含まれていないため、日本固有の領土であると主張している。1960年代末以降、尖閣諸島近海の海底にある豊富な（⑤　　　）資源の存在が明らかになると、中国がその領有権を主張し始めた。2012年9月に日本政府が尖閣諸島を国有化すると、尖閣諸島をめぐるトラブルが続発するようになった。

選択肢

宮古　石垣　魚釣島　西表島　サイパン　台湾　ポーツマス　下関　石油　天然ガス

正解／解説・補足

問1 ①国後島 ②歯舞群島 ③色丹島 ④択捉島

問2 ①石垣 ②魚釣島 ③台湾 ④下関 ⑤石油

主権国家と国際協調

国家の主権は、国内においては他のいかなる支配にも優越する最高性を持ち、対外的には他国や他の組織からのあらゆる干渉を受けない独立性を持つ。世界中のほとんどの国は、**主権国家**であり、他の国家からの干渉を受けない。ところが、国際協調という観点に立つと、国際法や国際連合の意思に従わざるをえないこともある。これを**「主権の自己制限」**と呼ぶ。ちなみに、**排他的経済水域**とは、沿岸国がその水域ですべての天然資源を他国の干渉を受けずに優先的に利用できる水域。

北方領土における日露の主張

北方領土は、第二次世界大戦後からソ連（現・ロシア）が実質的に占領を続けている北方4島（国後島(くなしりとう)、択捉島(えとろふとう)、歯舞群島(はぼまいぐんとう)、色丹島(しこたんとう)）である。日本側は、北方領土は北海道の一部であり、他国の領土になったことはないと主張しているが、ロシア側は日本が連合国に降伏した際のポツダム宣言や、米英ソによるヤルタ協定、サンフランシスコ平和条約（この条約で日本は南樺太(からふと)、千島(ちしま)列島を放棄）などを根拠に領有権を主張している。

尖閣諸島の領有権をめぐる問題

尖閣諸島は、19世紀後半まではどの国にも属していない無人島群だったが、1895年に閣議決定により沖縄県に編入された。太平洋戦争後の1946年1月、GHQの沖縄施政が開始されると日本の行政権が停止されるも、1951年9月に締結されたサンフランシスコ平和条約で、尖閣諸島は日本領として残った。1969年5月、国連アジア極東経済委員会の沿岸鉱物資源調査報告によって、東シナ海に石油が埋蔵されている可能性が指摘され、1971年、中国及び台湾が正式に尖閣諸島の領有権の主張を開始した。尖閣諸島は日本が実効支配しており、中国と領有権をめぐる問題は存在しないというのが日本政府の立場である。

アメリカ合衆国の政治

実践日　　年　月　日

正答数　　／8点

問1

アメリカ合衆国の政治機構について、空欄に入る語句を選択肢から選びなさい。

アメリカ合衆国は（①　　　　）制の連邦共和国であり、合計（②　　）州からなる1つの連合国（=合衆国）である。州は、1つの国家として見なされ、独自の消防、軍隊、裁判所を持ち、法律や税制度も州によって異なる。アメリカ合衆国の最高責任者は（①）であり、国民が間接選挙によって選出する。アメリカでは厳格な権力分立が行われており、立法府である議会は（③　　）院と（④　　）院に分かれる。（③）は「上位の議院」と呼ばれ、100人の議員で構成され、（④）は「人民の議院」と呼ばれ、435人の議員で構成されている。行政府の長は（①）で、その任期は（⑤　）年である。司法府は、連邦最高裁判所と、連邦下級裁判所で構成されている。

選択肢

共和　大統領　50　49　参議　衆議　上　下　合衆連邦　4　6

問2

アメリカ合衆国の歴代大統領とその事績を正しく一致させなさい。

（　）ジョン・フィッツジェラルド・ケネディ
（　）ジョージ・ウォーカー・ブッシュ
（　）バラク・フセイン・オバマ2世

①リーマンショック後の混乱のなかで、失業者や満足な医療を受けることのできない社会的弱者を救済するための政策を行った。
②ソ連がキューバに核兵器の基地を作っていたことを察知し、ソ連と交渉を重ねてキューバ危機を回避し、核戦争勃発を食い止めた。
③就任した年にアメリカ同時多発テロが発生。以後、アフガニスタン侵攻、イラク戦争を推進したが、イラクの大量破壊兵器保有という開戦理由は間違いだった。

正解／解説・補足

問1　①大統領　②50　③上　④下　⑤4

問2　ケネディ②　ブッシュ③　オバマ①

アメリカ合衆国大統領の権限

アメリカ合衆国の大統領は、各省の長官と各政府機関の長で構成される内閣を任命する。軍の最高司令官であり、連邦最高裁判所、連邦下級裁判所の裁判官を任命する権限を持つ国家元首である。連邦議会に対しては、可決された法案に**拒否権**を行使することもできる。

大統領は、自身の政策目標を達成するために**大統領令**を出すことができるが、連邦議会における法律制定によって修正、または覆すことが可能である。

民主党か共和党のいずれかに所属する大統領

アメリカは民主党と共和党の二大政党制の国であり、歴代大統領も1853年に就任したフランクリン・ピアース以降は、すべての大統領が、民主党または共和党のいずれかの政党に所属している。

アメリカで行われているアメリカ大統領の偉大さを測る世論調査のランキングでは、そのほとんどにおいて第1位に選ばれるのは、エイブラハム・リンカーンであり、続いてロナルド・レーガンや、ジョン・F・ケネディ、フランクリン・ルーズヴェルトなどの名前が並ぶ。

第35代大統領
ジョン・F・ケネディ

第40代大統領
ロナルド・レーガン

第43代米大統領
ジョージ・W・ブッシュ

第44代大統領
バラク・オバマ

問1

EUが成立した経緯について、空欄に入る語句を選択肢から選びなさい。

1952年、フランスのシューマン外相の提案で、フランス、西ドイツ、イタリアとベネルクス三国（ベルギー、オランダ、ルクセンブルク）の6カ国が欧州石炭鉄鋼共同体（ECSC）を結成。その後、欧州原子力共同体（EURATOM)、欧州経済共同体（EEC）を結成し、1967年、3つの共同体を統合する形で、（①　　　　　　　　）が誕生した。その目的は、域内（②　　　）を撤廃し、資本と労働力の移動の（③　　　）化、様々な社会政策をできる限り共通の基準で作ることにあった。(①）にはその後、イギリス、デンマーク、ギリシアなどが加わり、1993年には資本、労働力、商品、サービスの域内移動の完全（③）化が実現。世界最大の統一経済圏となり、1993年11月、通貨や安全保障政策の統合を目標に盛り込んだ（④　　　　　　　　）が発足した。2002年には、イギリス、スウェーデン、デンマークを除く12カ国で通貨が（⑤　　　　）に統合された。

選択肢

欧州連合＝EU　欧州共同体＝EC　租税　共同　自由　関税　マルク　ユーロ

問2

欧州の地図を見て、
EU加盟国ではない国は
×を付けなさい。

（　）①フィンランド
（　）②ノルウェー
（　）③リトアニア
（　）④ポーランド
（　）⑤チェコ
（　）⑥ウクライナ
（　）⑦ブルガリア
（　）⑧北マケドニア
（　）⑨スイス
（　）⑩イギリス

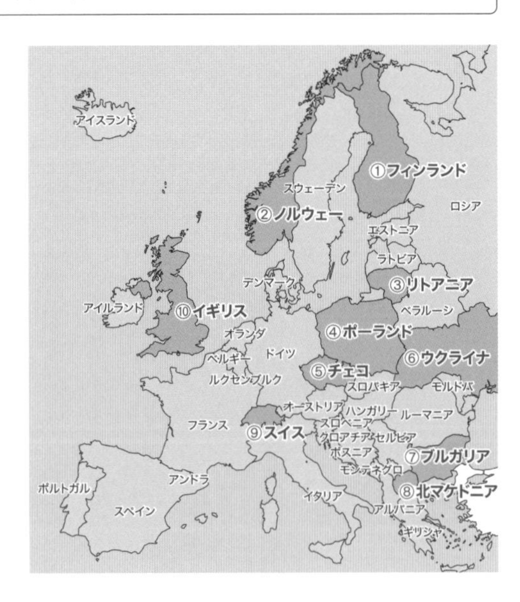

正解／解説・補足

問1　①欧州共同体＝EC　②関税　③自由　④欧州連合＝EU　⑤ユーロ

問2　×①　×⑥　×⑧　×⑨　×⑩

ECとEUの成り立ち

1973年、ECにイギリス、デンマーク、アイルランドが加わった際には**「拡大EC」**という名称が使われた。その後、ギリシア、スペイン、ポルトガルが加盟して12カ国となり、1993年の**マーストリヒト条約**の発効によってEUが発足した。

同条約は、EUの創設を定めた条約で、のちにその基本条約に大幅な変更を加えた**アムステルダム条約**が1999年に発効された。

EUの現在とイギリスの離脱

EUの創設国は、フランス、ドイツ、イタリア、ベルギー、ルクセンブルク、オランダの6カ国。その後、70年代にアイルランドとデンマークが加盟。その後も続々と加盟国は増え、最も新しい加盟国は2013年加盟のクロアチア。

加盟国は立法府を形成する欧州議会に直接選挙によって議員を選出する。最大の欧州議員数を誇るのは2021年時点でドイツの96名。

しかし、2016年6月23日、イギリスで「イギリスの欧州連合離脱是非を問う国民投票」が実施され、イギリスのEU離脱（ブレグジット）が決定。EUへの多額の拠出金、移民の増加などを理由とし、2020年1月31日、正式に離脱した。

青地に黄色の星が12個描かれているのがEUを象徴する欧州旗。青地は青空を表し、星が描く円環はヨーロッパの人々の連帯を表している。12は完璧や充実を表しているので、加盟国の増減によって増えたり減ったりすることはない

政治⑦ 国連などの国際機関

実践日　　年　月　日

正答数　／12点

問1

国際連合の成立とその役割について、空欄に入る語句を選択肢から選びなさい。

1945年、米英ソ首脳がクリミヤ半島の（①　　　）に集まり、国際連合の設立方針と運営原則を定めた。同年、第二次世界大戦終戦直前に連合国の51カ国は国際連合（②　　　）を定め、国際連合が発足。国際連合（②）では、「二度と戦争の惨禍（さんか）を繰り返さないための努力を結集する」ことがうたわれ、平和愛好国であれば国の規模を問わず加盟できるとしている。国際連合の行動原則には、「（③　　　）平等の原則」「紛争の平和的解決」「戦争、武力の行使、武力による威嚇（いかく）の禁止」「国内問題への（④　　　）」などがある。重要事項以外の議決は、単純（⑤　　　）制を採用。安全保障理事会では大国主義の原則が採用され、5大国が常任理事国として拒否権を有した。

選択肢

マルタ　ヤルタ　憲章　憲法　平和　主権　不干渉　干渉　合議　多数決

問2

国際連合の機構に関する図の空欄に入る語句を選択肢から選びなさい。

選択肢

評議会　総会　保障　TTP　世界保健機関　IMF　国際原子力機関　国際裁定　国際司法　PKO

正解／解説・補足

問1　①ヤルタ　②憲章　③主権　④不干渉　⑤多数決

問2　①総会　②保障　③国際司法　④国際原子力機関　⑤PKO
⑥世界保健機関　⑦IMF

国際連合機構における議決と常任理事国

国連総会をはじめとする国際連合関係の議決は、一般的には過半数の多数決制で行われる。ただし、新規加盟国の承認などの重要事項は、3分の2以上の賛成がなければ可決できない。

例外として、安全保障理事会における事項の議決では、**常任理事国**5カ国のすべてを含む9カ国（理事国は合計15カ国）の賛成が必要となり、ハードルが高い。

2021年現在、常任理事国の5大国はアメリカ、イギリス、フランス、ロシア、中国である。

国連の主要6機関

国連の主要6機関は、**総会**、**安全保障理事会**、**経済社会理事会**、**信託統治理事会**、**事務局**、**国際司法裁判所**である。総会は、全加盟国の代表で組織され、投票権はすべての国が平等に与えられる。経済社会理事会は、3年を任期とする54カ国で構成され、経済・社会・文化・教育・保健などに関する国際問題を扱う。事務局では、国連事務総長のもとに多くの国家公務員が働き、総会の招集、各機関の実務等に当たっている。

国際連合紋章

ニューヨーク市にある国際連合本部ビル

イスラエル・パレスチナ問題

実践日　　年　月　日

正答数　／10点

問1

イスラエル・パレスチナ問題について、括弧内の言葉に誤りがあれば直しなさい。

第一次世界大戦中、イギリスは戦争資金を調達するためにユダヤ人の大富豪を含むコミュニティに経済的な協力を要請、パレスチナに（①ユダヤ）国家を建設することを支持する内容の書簡を送った。これをバルフォア宣言という。一方、イギリスは、（②ロシア）帝国からの独立を目指すアラブ人たちを利用しようと、メッカの太守フセインにアラブの独立を支持することを約束した。そのうえ、フランスとは戦争終結後に（②）帝国を分割することを約束した（③サイクス・ピコ協定）。このイギリスの「三枚舌外交」が、のちのパレスチナ問題の遠因となった。1947年、国連はパレスチナの土地にアラブとユダヤの2つの国家を作る「パレスチナ（④統治）決議」を採択、これはユダヤ系住民に57%の土地を与える内容で、アラブ系住民から激しい反発が起きた。1948年、ユダヤ系住民は米英の軍事力を背景に（⑤エルサレム）建国を宣言。これに猛反発した中東諸国との第一次（⑥パレスチナ）戦争が勃発した。

①	②	③	④
⑤	⑥		

問2

パレスチナの難民問題について、空欄に入る語句を選択肢から選びなさい。

第一次中東戦争勃発後、パレスチナでは200以上の村が破壊され、70万人以上が故郷を失い、一部は（①　　　　）、（②　　　　）、シリアなど近隣諸国に逃れて難民となった。この出来事をパレスチナでは（③　　　　）と呼んでいる。パレスチナ難民は、現在では、約（④　　　　）人いるとされる。パレスチナ難民は市民権を得られず、就業制限を課されるケースも多くあり、支援が必要な状況が続いている。

選択肢

オマーン　クウェート　ヨルダン　レバノン　ジハード　ナクバ　450万　560万　3020万　2590万

正解／解説・補足

問1　①○　②ロシア→オスマン　③○　④統治→分割
　　　⑤エルサレム→イスラエル　⑥パレスチナ→中東

問2　①レバノン　②ヨルダン　③ナクバ　④560万

イスラエル建国で中東戦争が勃発

1948年のイスラエル建国宣言のあと、**第一次中東戦争**が勃発。約70万人ものパレスチナ人が土地を追われ、ヨルダン川西岸地区やガザ地区、近隣諸国へ逃れて難民となり、戦争で破壊された旧居住地はユダヤ系住民が住むようになった。

米英の軍事力を背景とするイスラエルに対してアラブ連合が立ち上がり、数度にわたって**中東戦争**が起きたほか、80年代後半からはパレスチナ人によるイスラエル側への反占領闘争、自爆テロなどが相次いでいる。

イスラエル建国宣言を行った初代首相ダヴィド・ベン=グリオン

泥沼化するパレスチナ問題

1994年以降は、パレスチナの**ガザ地区**と**ヨルダン川西岸**でパレスチナによる自治が開始された。パレスチナ自治区である難民キャンプの整備は、諸外国の援助で進んだが、細分化された自治区の大部分が、イスラエル軍の支配下に置かれた。

故郷を力ずくで奪われたパレスチナ難民の一部は、武装組織を結成し、イスラエルへの攻撃を続けた。

イスラエルも報復措置を繰り返したため、紛争は泥沼化。2005年には、ガザ地区からイスラエル軍が撤退したが、2012年には再び大規模軍事侵攻が行われ多数の犠牲者を出した。

2021年5月のイスラエル軍によるガザ地区への大規模な軍事侵攻

実践日　　年　月　日

正答数　　／9点

問1

イスラム国の成立と活動について、括弧内の語句に誤りがあれば直しなさい。

イスラム国は、正式名称をIslamic State in Iraq and the Levant、略称を（①ISIL）とするイスラム過激派組織である。その活動範囲は、（②ヨルダン）とシリアにまたがる広範囲であった。イスラム国の活動目的は、（③カリフ）制によるイスラム国家樹立運動で、（④タリバーン）系組織の支援を受けて原型となる組織が設立された。最盛期は、（②）とシリア領土の一部を武力によって制圧し、シリア領内の都市・（⑤ラッカ）を首都としていた。イスラム国の首謀者はアブー・バクル・アル・バグダーディーをはじめ複数おり、2015年時点でその兵士数は約（⑥3）万人程度と考えられていた。インターネットやSNSを用いた世界規模のリクルート戦略で知られ、これまで、約28000人もの外国籍の兵士が加入したとされる。

①	②	③	④
⑤	⑥		

問2

イスラム国が起こしたテロ事件の一覧A～C内の空欄に入る語句を選択肢から選びなさい。

A　2015年10月2日、ISILのシンパの（①　　　　）人少年により、オーストラリア・ニューサウスウェールズ警察本部前で警察職員が射殺された。

B　2015年11月13日、フランスの（②　　　）市街と郊外のサン=ドニ地区の商業施設においてISILの戦闘員とみられるグループによる同時多発爆弾テロが発生。死者130名、負傷者は350名以上。

C　2015年1月から2月にかけて、シリアの（③　　　）でISILの武装集団によって、日本人2名が拘束され、死刑囚の釈放を要求したあと、2名とも殺害された。殺害されたのは、元ミリタリー・ショップ経営の湯川遥菜氏とジャーナリストの後藤健二氏の2名だった。

選択肢

キャンベラ　シドニー　シリア　クルド　マルセイユ　パリ　メッカ　ダッカ　アレッポ　ダマスカス

正解／解説・補足

問1　①○　②ヨルダン→イラク　③○　④タリバーン→アルカイーダ　⑤○　⑥○

問2　①クルド　②パリ　③アレッポ

イスラム国の盛衰

ISILの兵士

イスラム国は「国」という言葉を使ってはいるものの、正確には国家ではない。特定の地域を武力で制圧し、インフラを支配することで恐怖政治を敷いた。

2014年から、アメリカ主導の有志連合によるイスラム国掃討作戦が開始され、広範囲で空爆が行われたが、イスラム国は支配地域を拡大し続けた。しかし、2016年1月5日時点で、イラクでの支配地域は約40%、シリアでの支配地域は約20%減少したとされる。

2017年10月には、イスラム国の首都・ラッカがシリアの反体制派シリア民主軍によって陥落。2019年、トランプ政権は、シリアにおけるイスラム国の支配領域をシリア民主軍らが完全に奪還したと宣言した。2019年10月26日には、**アブー・バクル・アル・バグダーディー**が米軍によって死亡した。

日本人も犠牲となったISILのテロ事件

パリ同時多発テロ事件

ISILは、世界各地で数多くのテロ事件を起こしている。その中でも日本人の記憶に鮮烈に残っているのは、問2にもある日本人拘束事件であろう。

この事件以前にも、アメリカ人やイギリス人が人質となって、殺害された事件は起きていたが、米英以外の国のジャーナリストが殺害されたのは初めてのことであった。

後藤氏に対しては、初めは約10億円、のちに約20億円の身代金要求がされた。ISILは、2人に動画内でメッセージを述べさせ、彼らの殺害を警告していたが、2015年、2人が殺害される動画が公開された。

政治⑩ 中国とロシア

問1

中国の支配地域について、地図の空欄を埋めなさい。

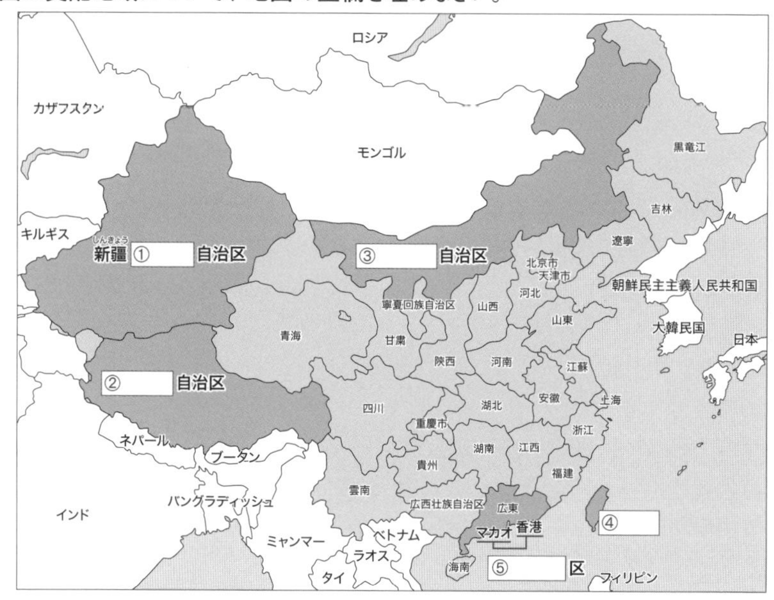

問2

ロシアとウクライナ間の紛争問題について、空欄に入る語句を選択肢から選びなさい。

2014年3月16日、ウクライナに属していた（①　　　　）自治共和国とセヴァストポリ特別市において、ロシア編入の賛否を問う住民投票が行われた結果、当局は96%の賛成票が得られたと発表した住民投票の2日後には、ロシア編入に関する条約が調印され、（①）はロシアに併合された。これを（①）危機または（①）併合という。しかし、この手続きはウクライナの意向を無視して強行されたため、（②　　　）総会はロシアによる（①）併合は違法であるとした。その後、ウクライナ東部のドンバス地方で起きた抗議運動が武装勢力による反乱に発展し、ウクライナとロシアの戦争となった。この戦争をウクライナ（③　　　）紛争と呼ぶ。

選択肢

コソボ　クリミア　トルコ　西欧　EU　国連　西部　東部

正解／解説・補足

問1　①ウイグル　②チベット　③内モンゴル　④台湾　⑤特別行政

問2　①クリミア　②国連　③東部

中国の支配体制

中国国家主席
習近平

中華人民共和国の行政区分は、23の省、5つの自治区、4つの直轄市（北京、天津、上海、重慶）、2つの特別行政区で構成されている。香港とマカオの**一国二制度**は、1997年にイギリスから香港が、1999年にポルトガルからマカオが返還された際に制定された政治システム。高度な自治を認め、一部を除いて中国本土の法律が適用されない。

中国共産党は1997年の返還時に、50年間は政治体制を変更しないことを約束していた。しかし、2020年の**国家安全法導入**により同制度は根底から揺らぐこととなった。

強まる中国共産党による香港支配

香港民主活動家
アグネス・チョウ

香港の大規模な民主化運動に対して、中国の中央政府は、2020年6月30日、全国人民代表大会常務委員会において、**香港国家安全維持法**を全会一致で可決した。同日夜に、香港行政長官のキャリー・ラム（林鄭月娥）が署名し、その日のうちに施行された。

この法律は、中国共産党が香港支配を強めるために、反中的な言動、過激な抗議活動を取り締まる目的で施行された。「香港民主化の女神」と呼ばれた**アグネス・チョウ（周庭）**らも、この法律によって逮捕された。

ロシアによるウクライナ侵攻

ロシア大統領
ウラジーミル・プーチン

ウクライナ東部紛争では、ウクライナ軍に2900名近い死者が、ロシア軍と分離主義者（親ロシア派）側には5500～8000名近い死者が出たとされる。

ロシアが実効支配したウクライナ領内には、親ロシア派が**ドネツク人民共和国**と**ルガンスク人民共和国**の独立を宣言したが、国連加盟国からは国家として承認されていない。2019年12月9日、ロシアのプーチン大統領と、ウクライナのゼレンスキー大統領はパリのエリゼ宮で会談し、ウクライナ東部紛争の停戦に合意した。

美術

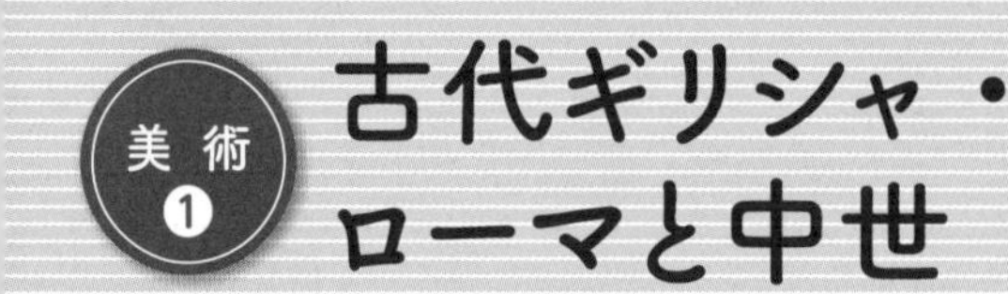

実践日　　年　月　日

正答数
／13点

問1

古代ギリシャ美術について、空欄に入る語句を選択肢から選びなさい。

地中海域で最初に開花したのは紀元前3000年頃のクレタ美術である。紀元前1600年頃からはミュケナイ美術が繁栄した。紀元前10世紀頃、コンパスなどを使った（①　　　　）が発展する。紀元前7世紀には（②　　　　）が生まれた。この時代の彫刻に認められる顔の穏やかな表情である（③　　　　）は有名である。紀元前5世紀初頭には（④　　　　）というアテネの黄金時代を生む。ドーリア式によって築かれた（⑤　　　　）はその代表である。やがて紀元前323年の（⑥　　　　）の死から、紀元前31年までのアクティウムの海戦までの時代を（⑦　　　　）と呼ぶ。この時代は古典主義的な時代であったが、（⑧　　　　）や（⑨　　　　）、ラオコーン（ローマ出土）といった、素晴らしい彫刻が生み出された。

選択肢

ヘレニズム時代　ミロのヴィーナス　サモトラケのニケ　幾何学様式　クラシック時代　パルテノン神殿
アレクサンドロス大王　アルカイック美術　アルカイック・スマイル

問2

キリスト教美術について、正しいものは○、誤っているものには×を付けなさい。

（　）①ローマ帝国では当初、キリスト教を認めなかったため、地下に掘ったカタコンベなどに秘かに壁画が描かれた。

（　）②ローマ帝国の東西分裂を機に、キリスト教美術は東ローマに移る。これはヘレニズム美術などさまざまな美術の影響を受けたものでビザンティン美術と呼ばれた。

（　）③ビザンティンの時代にモザイク絵画が流行する。色ガラスや大理石などの石片を貼り合わせる技法であり、代表作は「ユスティニアヌス帝と廷臣たち」である。

（　）④8世紀の聖像論争以降、聖像破壊運動が盛んになり、造形美術が衰退。ビザンティン美術は終焉する。

正解／解説・補足

問1　①幾何学様式　②アルカイック美術　③アルカイック・スマイル
④クラシック時代　⑤パルテノン神殿　⑥アレクサンダドロス大王
⑦ヘレニズム時代　⑧ミロのヴィーナス　⑨サモトラケのニケ

問2　①○　②○　③○　④×

ギリシャ美術の変遷と発展

ギリシャ美術の前に原始美術、エジプト美術があるが、ここでは割愛(かつあい)し、紀元前10世紀に生まれた幾何学(きかがく)様式時代から語る。それまでのギリシャ美術がフリーハンドでつくられたのに対し、定規(じょうぎ)やコンパスで描かれたような模様が作り出されるようになった。紀元前7世紀のアルカイック時代には、それまでの直立不動の人物像から、自然な骨格と筋肉を持つ人物彫刻が作られた。表情は唇の両端が上がり、穏やかな笑みが見られる。これは**アルカイック・スマイル**と言われ、時代や地域を超えてその美が伝わっている。紀元前5世紀初頭にクラシック時代を迎え、人体像は片方の足に体重をかけるなど動きのあるポーズを見せるようになる。また、大絵画も生まれ、**パルテノン神殿**がアクロポリスの丘につくられる。紀元前323年～紀元前31年は**ヘレニズム文化**の時代である。アレクサンドロス大王の大遠征により各地にギリシャ美術が伝わった。彫刻はありのままの人間性を重んじた、激しく感動的な動きにあふれた傑作が生み出された。

サモトラケのニケ

ローマ帝国とキリスト教美術

古代ローマ帝国がキリスト教を認めたのが紀元313年だったため、それまでキリスト教美術はあまり発展しなかった。330年には**コンスタンティヌス帝**が首都をビザンティウムに移したことにより、初期キリスト教美術を母体にヘレニズム美術などを取り入れた**ビザンティン美術**が栄える。**モザイク画**は細かい色の濃淡を出すことはできないが、光の反射によって美しい壁面を作り出すことができた。8世紀には聖像破壊運動が起きたのは事実。しかし、帝国の領土が広がるとともに、広い地域でその美術は受け継がれていった。

ユスティニアヌス帝と廷臣たち

ルネサンス

実践日	年	月	日

正答数
／8点

問1

ルネサンスについて、正しいものは○、誤っているものには×を付けなさい。

①ルネサンスの直前、イタリアなどのヨーロッパは絵画を中心にロマネスク美術が栄えていた。

②ルネサンスは日本語では「文芸復興」と呼び、中世キリスト教文化から離れ、古代ギリシャ・ローマの美術を復興しようとするものだった。

③ルネサンスはイタリアで始まったとされるが、実は15世紀に北方ルネサンスとしてネーデルラントのヤン・ファン・エイクがのちのイタリアルネサンスにつながる様々な新しい画法を生み出していた。

④16世紀に入ってルネサンスは盛期を迎え、ミケランジェロやカラヴァッジョという天才を生み出した。

①	②	③	④

問2

ルネサンスの三大巨人、ダ・ヴィンチ、ミケランジェロ、ラファエロと、ボッティチェリの代表作と功績を選択肢から選びなさい。

ボッティチェリ

代表作と功績（①　　）

ダ・ヴィンチ

代表作と功績（②　　）

ミケランジェロ

代表作と功績（③　　）

ラファエロ

代表作と功績（④　　）

選択肢

A「小椅子の聖母」・女性の美しさを調和された美として描いた。
B「天地創造」・風景よりも人間の力強い肉体の美を追求した。
C「ヴィーナスの誕生」・女性の裸体を美しく描くとともに、「春」などで植物を写実的に描いた。
D「最後の晩餐」・多彩な天才で、「モナリザ」などで写実的な人間像を描き、風景画で遠近法を確立した。

正解／解説・補足

問1 ①× ②○ ③○ ④×　　問2 ①C ②D ③B ④A

ルネサンスの誕生と終焉

ルネサンスは15世紀頃、中世末期の運動である。中世はゴシックになってステンドグラスが生まれ、教会に明るい光が入り、文字が読めない人にも聖書の内容が図で理解できるようにされた。初期ルネサンスは実は、イタリアではなく北方(現在のオランダ、ベルギー）から始まった。その代表的人物が**ヤン・ファン・エイク**である。この天才は、世界で初めて油彩画を自家薬籠中の物にし、**空気遠近法**によって絵画を二次元の世界から解放し、同時に写実的な人間描写を可能にした。ルネサンスは16世紀の**ミケランジェロ**でおおよそ終わりを告げる。ミケランジェロでさえ晩年は「マニエリスムの作家」とも言われた。16世紀末頃には明暗をはっきりとして劇的効果を生み出す**バロック絵画**が流行する。その先駆者が**カラヴァッジョ**である。

カラヴァッジョの「聖アンデレの磔刑」

ルネサンスの巨人たち

初期ルネサンスの**ボッティチェリ**は、ゴシックまでのキリスト教絵画を一変させて、ギリシャ神話をモチーフにした絵画を生み出す。代表作は裸体を描いた**「ヴィーナスの誕生」**である。ボッティチェリは**「春」**という名画も残す。**ダ・ヴィンチ**の代表作は数多い。最も有名なものは**「モナリザ」**だが、弟子のなかに自分を裏切る者がいると語るイエスを描いた**「最後の晩餐」**は、巧みな遠近法と明暗法で描かれた傑作で世界遺産でもある。ダ・ヴィンチのライバル的存在であった**ミケランジェロ**は本業が彫刻で、**「ダヴィデ」**のような筋肉隆々の男の筋肉美を表現した。ミケランジェロにさかのぼること約300年。日本では運慶と快慶が、東大寺で筋肉隆々の仏像彫刻をつくった。この両者の共通点はしばしば指摘される。ミケランジェロは画家としても一流で、**システィナ礼拝堂**には壁画と天井画の傑作を残した。このうち壁画が**「最後の審判」**、天井画が**「天地創造」**である。

ボッティチェリの「ヴィーナスの誕生」

実践日　　年　月　日

正答数
／11点

問1

バロックについて、正しいものに○、誤っているものには×を付けなさい。

（　）①イタリアではルネサンスとバロックの間、16世紀にマニエリスム芸術が栄えた。これはのちのバロック芸術にも影響を与えた。

（　）②バロックはルネサンスの調和の美よりも、もっと演劇的な表現を目指し、際立った明暗表現などを特徴とした。

（　）③バロック美術は、どこよりも先にオランダ、ベルギーから始まった。

（　）④バロックは建築や音楽にも伝わった。音楽ではバッハが代表となった。

問2

バロックについて、空欄に入る語句を選択肢から選びなさい。

バロックは16世紀末頃から栄えた美術様式である。その最初の代表は、イタリアの（①　　　　　）である。（①）は、「聖マタイの召し出し」という聖書の逸話を、庶民の姿で描き、鑑賞者に身近なものとした。その画風は（②　　　　）をはっきりと表し、演劇の一場面のようにドラマティックにした点が画期的なものであった。だが、イタリアの国力はしだいに衰え、バロックは経済的に繁栄したオランダや現在のベルギーである（③　　　　　）で栄えた。その代表者は（④　　　　　）である。明暗法だけでなく色彩あふれる美しい画面など多彩な手法だった。また時に力強い人体表現によって劇的表現を果たした（④）の代表作は数多いが、アントワープの大聖堂の「キリスト昇架」は様々な意味で傑作である。一方、オランダでは（⑤　　　　　）の信者が多く、宗教画より風景画や静物画、肖像画などわかりやすい絵画が発展する。その代表的画家の（⑥　　　　　）は（②）を使い分け、聖書や集団肖像画も画期的な構図で描いた。代表作は「夜警」である。一方でこの時期、オランダには、（②）をさほど使わずに、あくまで部屋に差し込む微妙な光を巧みに表現し、緻密な室内画を創造した（⑦　　　　　）がいる。

選択肢

ルーベンス　プロテスタント　レンブラント　フェルメール　カラヴァッジョ　明暗の差　フランドル地方

正解／解説・補足

問1　①○　②○　③×　④○

問2　①カラヴァッジョ　②明暗の差　③フランドル地方　④ルーベンス
⑤プロテスタント　⑥レンブラント　⑦フェルメール

マニエリスムの影響で始まったバロック

16世紀、ルネサンス衰退後に生まれたのが**マニエリスム**の美術である。その特徴は、長い首やねじまがった体など、人体の自然な比率を無視した極端な長身化や遠近法の誇張など。代表的作家に**ポントルモ**、**パルミジャニーノ**、スペインで活躍した**エル・グレコ**も含められる。また明暗対比という特徴もあり、バロックへの影響も指摘されている。バロックは、ポルトガル語由来で「ゆがんだ真珠」から。またバロックはイタリアのマニエリスムの影響のもと始まったというのが定説。

バロックの特徴と名作たち

バロックの誕生を**カラヴァッジョ**に見出す人は多い。代表作**「聖マタイの召し出し」**のように、暗い室内に光が差し込む劇的表現を描き出し、新しい芸術傾向を生み出した。ベルギーには巨人ルーベンスがいた。作品の多くは鮮やかな色彩、柔らかい筆触で描かれたが、明暗差を出して明らかに劇的効果を狙った作品もあり、**「キリスト昇架」**は代表作である。

カラヴァッジョの「聖マタイの召し出し」

聖像崇拝を否定する新教徒の多かったオランダは商業が栄え、裕福な市民による宗教画以外の絵画の注文も盛んになった。**レンブラント**はその代表で、大作**「夜警」**は絵画史上に残る名作である。この絵も明暗の差が明らかで闇のなか様々なスポットライトが当てられる。一方、集団肖像画や大作に興味を示さなかった**フェルメール**は、代表作**「牛乳を注ぐ女」**などで、室内に差し込む光を受けて作業を行う女性たちのささやかな生活を、白い点を並べる技法などによって神聖なものに昇華させた。

レンブラントの「夜警」

実践日　　年　月　日

正答数
／10点

問1

フランスのロココ美術について、空欄に入る語句を選択肢から選びなさい。

1710年代から1760年ごろにかけてフランスでは（①　　　　　）美術が流行した。これを（②　　　）という。政治的には、それまでの（③　　　）の荘重で古典主義的な芸術文化の反動として生まれたものである。（③）が死去し、貴族や裕福な市民たちが（④　　　　　　　）を求めるようになったのである。絵画における代表は（⑤　　　　）で、代表作は「シテール島の巡礼」などである。

（⑤）の他に、その影響を受けたのは（⑥　　　　）で、（⑥）は陽気な官能性を作風として極めた。（②）の画家としては、この他、（⑥）の弟子であるフラゴナール、シャルダンなどが挙げられる。

選択肢

軽くて楽しいもの　ヴァトー　ブーシェ　甘く優雅な　バロック　ロココ　ルイ14世

問2

イギリスやイタリア、フランスで流行したロココ美術について、正しいものは○、誤っているものには×を付けなさい。

（　）①1868年にイギリスで王立アカデミーが設立されると、一気に美術界は活気づいた。この時期の画家にはホガースやレノルズ、さらにゲインズバラなどが登場する。

（　）②ロココの時代のイタリア絵画の中心はローマだった。ティエポロは白を貴重にした明るい絵画を生み出し、過去の歴史にとらわれない自由な絵画を描いた。

（　）③イタリアで、ロンギ、カナレットらによってローマの生き生きとした市民生活や風景が描かれ、これは世界に広まった。

（　）④フランスでは1789年にフランス革命が起き、宮廷を中心としたロココの華麗な美術は贅沢でだらしない文化として批判された。

正解／解説・補足

問1　①甘く優雅な　②ロココ　③ルイ14世　④軽くて楽しいもの　⑤ヴァトー　⑥ブーシェ

問2　①×　②×　③×　④○

バロックへの反動で生まれたロココ美術

17世紀に**「太陽王」**として絶対王政に君臨した**ルイ14世**は、ヴェルサイユ宮殿の造営に着手した。こうしてバロック時代の荘重な宮殿とその文化が整備された。それはルイ14世を主役とする壮麗な舞台であり、時に古典主義的要素のあるものだった。時代が一変するのは、1715年のルイ14世の死去であった。次のルイ15世は愚鈍な王だったが、芸術については自由に任せた。この結果、ルイ14世の荘重で壮大、かつ重い芸術への反動が自然に起きた。ここにロココ美術として、儀式性をなくして、軽妙洒脱で自由闊達な文化が生まれたのである。ちなみにロココの語源は、変わった形の岩や貝殻をかたどった「ロカイユ」から来ている。ロココの最初の代表的画家は**ヴァトー**。代表作**「シテール島の巡礼」**は、恋の成就する島（戸外）に多くの貴族が到達する雅宴画である。貴族階級の幸福かつ哀愁も秘めた恋というロココらしい主題である。ヴァトーの影響を受けた**ブーシェ**の作風は陽気な哀愁を帯びた官能性で、ブーシェの弟子**フラゴナール**も、恋の瞬間を劇的場面のように描いた。このようにロココに共通するのは恋の幸福だった。

ヴァトーの「シテール島の巡礼」

ロココ美術の変遷

王立アカデミー設立は1768年。18世紀から20世紀までの美術の歴史は早い。なお、**ホガース**は版画や油彩によって当時のイギリスの世相をまるで芝居の舞台を見るようにわかりやすく表現している。**ゲインズバラ**は肖像画と風景画において、衣装の光沢やそよぐ木々の風情などの移ろいやすいものを的確に捉え、ロマン主義へとつなげている。

ロココ美術は裕福な現代人から見ると、繊細でかわいらしいが、一日のパンにも困り、過酷な労働を強いられていた平民からすれば、社会の現実をまったく描いていないものであった。

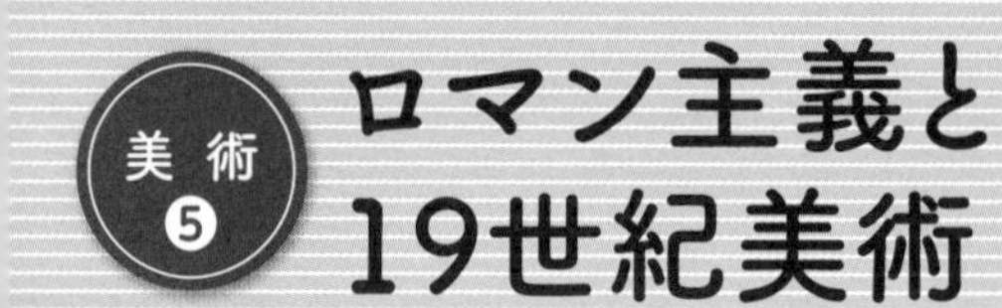

美術 5 ロマン主義と19世紀美術

実践日　　年　月　日

正答数　／11点

問1

ロマン主義について、空欄に入る語句を選択肢から選びなさい。

芸術における新古典主義はナポレオンの失脚とともに衰退へと向かった。勇ましい英雄の肖像画よりも、遠い異国文化や中世の空想的物語に興味を求めるロマン主義が台頭。フランスのジェリコーが描いた「(①　　　　　　　)」が嚆矢(こうし)となった。海で遭難した者たちが必死に生き抜こうとする姿を生々しく描いた同作は、実話をもとにしたもので、その（②　　　　　）な表現が称賛を浴びた。ジェリコーを受け、ロマン主義を完成させたのは（③　　　　　）だった。ギリシャ独立戦争を取材した「(④　　　　　　)」に加え、世界的名画である、1830年の７月革命を題材にした「(⑤　　　　　　　)」など、ドラマティックな場面を描いた。ロマン主義ではないが、この時期イギリスには(⑥　　　　)という風景画家が現われ、これはフランスの(⑦　　　　　)に強い影響を与える。

選択肢

キオス島の虐殺　民衆を導く自由の女神　ブレイク　ターナー　写実主義　印象主義　メデューズ号の筏　ダイナミック　ドラクロワ

問2

写実主義について、空欄に入る語句を選択肢から選びなさい。

18世紀後半に産業革命が始まると、労働者の姿が絵画のテーマになっていく。美術の世界では19世紀半ばからロマン主義に対抗して（①　　　　）の運動が盛んになる。その代表は身近な現実をありのままに描いた(②　　　　)だった。(②)は貧しい労働者の姿を描き、社会の矛盾を告発した。代表作は「石割り人夫」「オルナンの埋葬」などである。一方、貧しい農民を描いたのは（③　　　）だった。(③）の代表作は「晩鐘」や「(④　　　　)」などであった。あるがままの現実を描くことで、絵画は神や英雄、国王、貴族など理想の人物像を描かなくてはならない縛りから解き放たれた。それは印象派へとつながっていく。

選択肢

ドーミエ　ミレー　種まく人　写実主義　クールベ

正解／解説・補足

問1　①メデューズ号の筏　②ダイナミック　③ドラクロワ　④キオス島の虐殺
⑤民衆を導く自由の女神　⑥ターナー　⑦印象主義

問2　①写実主義　②クールベ　③ミレー　④種まく人

ロマン主義の誕生と特徴

政治や民衆の生活と美術はしばしばシンクロする。ルイ15世のもとで貴族が自由に幸福を享受した時代には優雅なロココ主義が栄え、フランス革命を経てナポレオンの時代になると新古典主義の歴史画などが増えた。その後に栄えたのは**ロマン主義**だった。ロマン主義の画家もニュース写真のような一場面を描いたが、時に粗いタッチで強い明暗を用い、構図も自由なものであった。その表現は、動的でより感情的なものだった。**「民衆を導く自由の女神」**を描いた、フランスの**ドラクロワ**のダイナミックな歴史的集団人物画は代表的である。一方、イギリスなどでは、**フュースリ**などの作品で、悪い夢を見ている女性の上に乗った悪魔などが描かれる。このように幻想的、神秘的なテーマを描いたのもロマン主義の特徴である。とくに**ブレイク**はゴシックの美術を学び、自作の詩に挿絵をつけた彩色版画の技法を開発した。

ドラクロワの「民衆を導く自由の女神」

リアリストたちによる写実主義

写実主義（リアリズム）は、画家が見た現実、それも偉大な政治家や大事件ではなく、庶民や農民のささやかな労働と生活にも美があると信じて、それを絵にしたものである。写実主義を代表する**クールベ**は、「私に天使を描けというならば、天使を見せてくれ」と言ったほどのリアリストであった。一方、**ミレー**は農民画家として、農民の労働と、彼らの素朴な信仰を崇高なレベルで描き出した。

ミレーの「種まく人」

美術6 印象派

実践日　　年　月　日

正答数　／11点

問1

印象派を代表する画家について、空欄に入る人名を選択肢から選びなさい。

①世界絵画史に残る傑作「ムーラン・ド・ラ・ギャレット」などでも明らかなように、木々の間から輝く木漏れ日の美に加え、休日を楽しむ新しい市民階級の喜びを暖色を中心に表わした。(　　　　)

②「サン・ラザール駅」やエトルタの海岸やルーアンの大聖堂の連作など多数の作品で、光と大気の移ろいを描いた。晩年はジャポニズムの影響から、日本風の庭を造り「睡蓮」の連作を残した。(　　　　)

③バレエの踊り子をテーマにした作品が多い。一方で、浮世絵といったジャポニズムの影響も受け、大胆な構図で描いた「アブサン」などもある。(　　　　)

選択肢

モネ

ドガ

ロダン

ルノワール

ピサロ

問2

印象派以降の画家たちについて、空欄に入る語句を選択肢から選びなさい。

印象派は明るい色彩、大胆な構図という意味で革命であった。しかし、すぐにそれを超える画家と作品が生まれた。これを（①　　　　　）と言う。(①)には共通したスタイルはなく、印象派の影響を受けながら、それを超えるそれぞれの画風を持っていた。粗いタッチで内面の激しい感情まで描き出したものの、生前まったく評価されなかった（②　　　）、単純化した鮮やかな色の面で描いた（③　　　　）、「自然を円筒形と球体と円錐体でとらえなさい」と言った（④　　　　）は代表的人物である。この他では、(⑤　　　　）は写実主義と訣別した絵画運動であるフォーヴィスムに影響を与え、(⑥　　　）は（⑦　　　　）と呼ばれ点描画を極めた。(⑥) の代表作「グランド・ジャット島の日曜日の午後」は(⑦)の最高傑作である。さらに、夢や死、幻想などの神秘的・内面的なテーマを描いた（⑧　　　　）の代表としてルドンやモローがいる。

選択肢

セザンヌ　マティス　新印象派　スーラ　象徴主義　ポスト印象派（後期印象派）　ゴッホ　ゴーギャン

正解／解説・補足

(問1) ①ルノワール　②モネ　③ドガ

(問2) ①ポスト印象派（後期印象派）　②ゴッホ　③ゴーギャン　④セザンヌ
⑤マティス　⑥スーラ　⑦新印象派　⑧象徴主義

光を描こうとした印象派

「ムーラン・ド・ラ・ギャレット」を描いた**ルノワール**は見る者が幸福感を味わえる作品を目指し、木漏れ日の輝きという光の美しさも確実に捉えた。モネを代表に印象派の画家は原色の色斑を並置して、離れて見るとそれぞれの色が混ざり合って見えるという**「筆触分割」「視覚混合」**の技術を駆使した。加えて、**モネ**は刻々と移りゆく光の効果を追求した。モネの**「サン・ラザール駅」**は朝の大気と沸き上がる蒸気を通過する光が描写される傑作である。晩年は日本風の庭を造り、移りゆく睡蓮の美しさを描き出した。バレエの絵画を多く残した**ドガ**は日本画の影響を受け、時に遠近法を無視した大胆な構図の作品を描いた。ほかにも近代彫刻の巨人**ロダン**がいる。代表作は「カレーの市民たち」の他に、**「考える人」「地獄の門」**などがある。

ルノワールの「ムーラン・ド・ラ・ギャレット」

印象派後の巨人たち

ゴッホは強烈な色彩と、ジャポニズムの影響を受けた大胆な構図をもとに、自身の激しい内面を描いたが、貧困のなか、精神を病み自殺した。ゴッホと一時期共同生活した**ゴーギャン**はタヒチに行き、鮮やかな色彩を単純化された輪郭のなかに平塗りする技法を生み出した。**セザンヌ**は立方体などを組み合わせた新しい空間描写のあり方を生み出し、一方で筆の重なりによって微妙な遠近感を表現した。これはのちのキュビスムなどに大きな影響を与えた。**新印象派**は、点描画によって描かれた作品で、近くで見ると点にすぎないが遠くから見ると鮮やかな色彩が描き出されるもの。印象派の筆触分割を発展させたものである。

ゴッホの「自画像」

キュビスムなどの新しい芸術運動

実践日　　年　月　日

正答数
／10点

問1

20世紀美術について、空欄に入る語句を選択肢から選びなさい。

ポスト印象派の画家だった（①　　　　）は「自然を円筒形と球体と円錐体でとらえなさい」と言い、新しい画面構成法を試みた。（①）の影響を受け、アフリカの彫刻などにもインスパイアされた（②　　　）は、1907年にまったく斬新な集団肖像画である「（③　　　　　　　　　）」を生み出す。横顔風の顔と正面の顔がひとつの顔に共存し、体もあちこち角ばっている。これこそが（④　　　　　）の嚆矢となった作品であった。（④）は形態と構成における革命であった。

（②）を評価し、ともに立体表現を追究したのは（⑤　　　　）である。この2人によって、絵画が三次元のものとして表現されていった。さらに2人は新聞などの切れ端を画面にそのまま貼る方法を思いついた。これが（⑥　　　　　）の始まりである。（②）はその後、ナチスの爆撃に抗議した「（⑦　　　　）」を発表している。その他、（④）の画家としてフェルナン・レジェらがいる。

選択肢

キュビスム　ブラック　コラージュ　ゲルニカ　セザンヌ　ピカソ　アヴィニヨンの娘たち

問2

20世紀美術について、正しいものは○、誤っているものには×を付けなさい。

（　）①フォーヴィスムはゴッホやゴーギャンの影響を受け、原色の生き生きとした色彩で描かれた。

（　）②フォーヴィスムがフランスで栄えたのに対し、表現主義はフォーヴィスムの影響を受け、主にイタリアで栄えた。心や感情など人の内面を強烈な色彩で描くものである。

（　）③表現主義は「ブリュッケ」や「青騎士」などのグループからノルデやキルヒナー、カンディンスキーらの画家を生んだ。

正解／解説・補足

問1　①セザンヌ　②ピカソ　③アヴィニヨンの娘たち　④キュビスム
⑤ブラック　⑥コラージュ　⑦ゲルニカ

問2　①○　②×　③○

美術

キュビスムとピカソ

セザンヌとアフリカ彫刻をもとに新しい芸術を生み出したのはパブロ・ピカソだった。その記念碑的作品が**「アヴィニヨンの娘たち」**である。ここでは女性の顔も体も、図形をはめ込んだような角ばった絵になっている。これこそが**キュビスム（立体派）**による形態と構成の革命であった。ピカソに協力したのは**ブラック**だった。2人は、セザンヌの言葉の影響もあったのか対象を小さな図形に分解し、それらを足しながら１つの画面を構成した。長い作家生活のなかで作風をしばしば変えたピカソだが、キュビスムの最大の代表作は**「ゲルニカ」**である。都市ゲルニカへのナチスによる無差別爆撃を批判して描いたこの大作で、戦争の悲惨さを訴えている。

ピカソの「アヴィニヨンの娘たち」

ピカソの「ゲルニカ」

フォーヴィスムの誕生と表現主義

キュビスムが「アヴィニヨンの娘たち」によって1907年に生まれたとしたら、**フォーヴィスム**は1905年の展覧会で生まれた。そこには暴力的なほどの色彩と荒々しい筆遣いの作品が並び、野獣のようだとして、人々は侮蔑を込めてフォーヴィスムと呼んだ。目に見えるモチーフの色や形にこだわることなく、鑑賞者の心に訴えかける強烈な色彩や単純な形で表現しようとした。これらはゴッホやゴーギャンら19世紀の画家の影響にあるものだった。フォーヴィスムの影響もあってドイツで**表現主義**が生まれた。表現主義は印象主義の反対語。印象主義が外の見える世界の印象をそのまま描こうとしたのに対し、表現主義は人の内面の感情など見えない世界を強烈な色彩で描こうとした。その画風にはフォーヴィスムと近いものを持つ。表現主義からは**「ブリュッケ」**と**「青騎士」**という大きなグループを生み、多くの画家を輩出した。なお映画においても表現主義は栄えた。

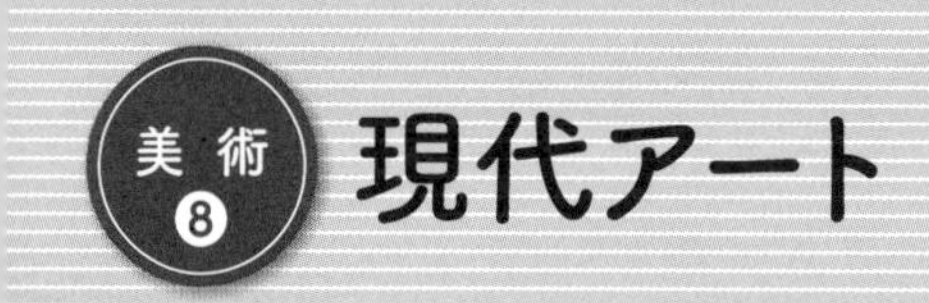

美術 8 現代アート

実践日　　年　月　日

正答数　／11点

問1

シュルレアリスムについて、空欄に入る語句を選択肢から選びなさい。

1910年代半ばに起こった芸術運動であるダダの影響のもとに、（①　　　　　）が生まれた。これは夢や無意識や非合理の世界を解放することで、新しい価値を創造しようとしたものであった。パリでダダに参加した詩人の（②　　　　　）は、「（①）宣言」を発表し、リーダー的立場になった。（②）は（③　　　　　）という、あらかじめ何を書くかを決めずにペンの動くままに記述する無意識を表現する手法を広めた。（②）のもとに多くの画家が集まり、新たな表現方法を駆使し、現実を超越した、時に幻想的な作品を残した。ベルギーの（④　　　　　）は具象を描き、思いがけない物と物との組み合わせによる奇妙なイメージを持つ作品を描いた。スペインの（⑤　　）は細密かつ大胆な表現で無意識の世界を描いた。

選択肢

ダリ　イヴ・タンギー　シュルレアリスム　アンドレ・ブルトン　自由記述法　自動記述法　マグリット

問2

アメリカの前衛芸術について、空欄に入る語句を選択肢から選びなさい。

1950年代末、ラウシェンバーグが（①　　　　　）と呼ばれる運動を行う。これはダダの代表的作家（②　　　　　）がレディメイド（既製品）を用いて作品にしたことに影響を受けたものである。1960年代になると、（③　　　　　）がアメリカで流行した。その代表的作家の1人は（④　　　　　）である。（④）はコミックの1コマを印刷インクのドットまで拡大してキャンバスに描いた。コミックの単純で太い線と、単純化された色彩が特徴である。もう1人の代表は（⑤　　　　　）である。マリリン・モンローやスープ缶などの大衆に大量消費されるものを対象に、それを（⑥　　　　　）で作成し展示した。

選択肢

ポップアート　リキテンスタイン　アンディ・ウォーホル　シルクスクリーン　ジャスパー・ジョーンズ　ネオダダ
マルセル・デュシャン

正解／解説・補足

問1 ①シュルレアリスム　②アンドレ・ブルトン　③自動記述法　④マグリット　⑤ダリ

問2 ①ネオダダ　②マルセル・デュシャン　③ポップアート　④リキテンスタイン　⑤アンディ・ウォーホル　⑥シルクスクリーン

芸術活動のダダが生んだシュルレアリスム

シュルレアリスムはダダから生まれた。指導したのは詩人のアンドレ・ブルトン。**「シュルレアリスム宣言」**を発表し、秩序の破壊だけだったダダに統一性と方向性を築いた。ブルトンのもとには多くの芸術家や詩人・作家が集まり一大運動となった。詩の分野では**自動記述法（オートマティスム）**、美術の分野では**フロッタージュ**、**デカルコマニー**といった技法を駆使した。これらの多くは最初から何かを描こうというものではなく、偶然性を重視し、時に無意識のイメージを表現するものだった。こうした技法を使わないシュルレアリスムの代表的作家として**マグリット**がいた。あくまで具象的な作品を残したが、意外性を持ったイメージの組み合わせがなされ、作品名を含めて理知的・哲学的な作品を多く残した。ダリはダブルイメージを駆使し、**「記憶の固執」**では、時計を溶けそうなチーズのように描き、時計とチーズの二重の意味をもたらした。

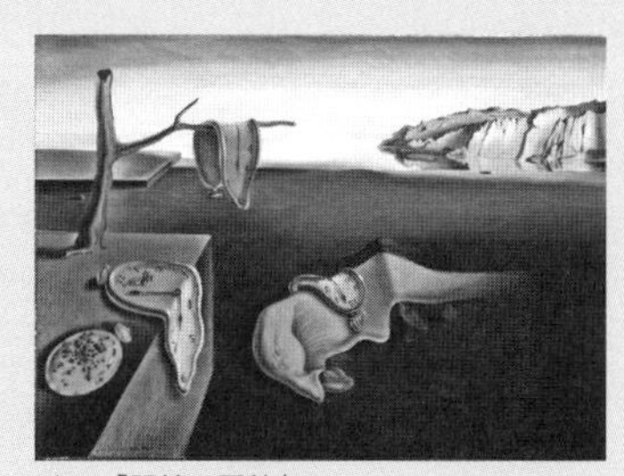
ダリの「記憶の固執」

ネオダダ以降の現代アート

ネオダダはジョーンズが国旗や標的などのいわば記号をモチーフに、それを加工して呈示（ていじ）した。**ラウシェンバーグ**はレディメイドのオブジェを組み合わせ、立体的な作品をつくった。彼らはいわばイメージのオブジェ化を行ったのである。1960年代には、マンガの1コマを拡大した作品を**リキテンスタイン**が発表する。一方、**アンディ・ウォーホル**はコーラや缶スープなど大量生産・大量消費される製品、さらにマリリン・モンローなどの大衆に支持される有名人の画をシルクスクリーンで何点も作り出した。

アンディ・ウォーホルの「マリリン・モンロー」

日本美術（飛鳥〜安土・桃山）

実践日　　年　月　日

正答数
／17点

問1

日本の仏教彫刻について、空欄に入る語句を選択肢から選びなさい。

538年、日本に仏教が伝来したとされる。623年には鞍作止利によって法隆寺に「(①　　　　　)」がつくられ、大陸からの影響とされるアルカイックスマイルなどが見られた。645年から710年までの（②　　　　　）には興福寺の「(③　　)」や薬師寺の「薬師三尊像」のほか、絵画では「(④　　　　　　　　)」といった作品も残された。奈良時代は（⑤　　　　　）とされ、6本の腕と3つの顔を持つ興福寺の「(⑥　　　　　)」など、唐の影響を受けた人間味のある仏像がつくられる。752年には東大寺の大仏こと「(⑦　　　　　)」が完成した。平安時代には密教による（⑧　　　）が栄える。平安後期には、宇治平等院に「阿弥陀如来像」がつくられた。鎌倉時代には（⑨　　）と快慶による東大寺南大門の「(⑩　　　　　)」のほか、興福寺の「無著・世親像」という傑作がつくられた。

選択肢

阿修羅像　盧舎那仏　曼荼羅　運慶　金剛力士像　釈迦三尊像　白鳳時代　仏頭　高松塚古墳壁画　天平文化

問2

安土・桃山時代について、空欄に入る語句を選択肢から選びなさい。

安土桃山時代の極めて短い期間に、多くの画家が活躍する。その代表が狩野派の総帥である（①　　　　）。(①) は織田信長、豊臣秀吉に認められ、安土城、大坂城、聚楽第に多くの襖絵を描いた。その代表は「(②　　　　　　　)」などである。狩野派には、(①) の祖父である（③　　　　　）、(①) の孫で江戸城などの障壁画を描いた（④　　　　　）などがいる。また、(①) が死ぬ頃に頭角を現した、能登から京都に上がった画家の（⑤　　　　　　）がいる。その代表作は「(⑥　　　　　　)」である。なお、この時代には茶の湯が栄え、秀吉とともに（⑦　　　）がその文化の担い手になった。

選択肢

狩野探幽　長谷川等伯　松林図屏風　千利休　狩野永徳　唐獅子図屏風　狩野元信

正解／解説・補足

問1　①釈迦三尊像　②白鳳時代　③仏頭　④高松塚古墳壁画　⑤天平文化　⑥阿修羅像　⑦盧舎那仏　⑧曼荼羅　⑨運慶　⑩金剛力士像

問2　①狩野永徳　②唐獅子図屏風　③狩野元信　④狩野探幽　⑤長谷川等伯　⑥松林図屏風　⑦千利休

飛鳥時代から平安時代の美術

飛鳥時代の法隆寺**「釈迦三尊像」**の笑みは、古代ギリシャのアルカイックスマイルが朝鮮経由で大陸から伝わったものとされる。同じ法隆寺では、7世紀半ばの**「百済観音像」**は、優しくなまめかしい体つきをしている。白鳳時代のものとしては、現在も残る**「高松塚古墳壁画」**がある。奈良時代に入ると天平文化が開花する。興福寺の**阿修羅像**はその造形もさることながら、端正な顔の美しさも特徴的な傑作である。平安時代に入ると、密教が栄え、神護寺では**「薬師如来像」**などがつくられた。894年に遣唐使が廃止されると、日本独自の文化が花開く。鎌倉時代には**運慶・快慶**によって理想化された筋肉隆々の**「金剛力士像」**がある。

東大寺南大門の「金剛力士像」

安土桃山時代の絵師を代表する狩野派

15世紀の室町時代には**雪舟**が現れる。山水画などを描いた雪舟は室町時代を代表する画家だった。やがて時代は安土桃山時代に移る。織田信長、豊臣秀吉が天下を取る短い期間に多様な文化が生まれた。戦国大名は城を築き、その内部には壮麗な襖絵が飾られた。そのための画家（絵師）として支持されたのが狩野家だった。とくに**狩野永徳**は大広間を飾るために巨大なモチーフを太い筆で一気に描いた。こうしたスタイルは権力者の力を誇示する意味もあった。狩野派は一族以外からも多くの画家を生み、その画派は400年続いた。一方、狩野派に対立するかのように、独自の画風を追求した**長谷川等伯**もいた。

狩野永徳の「唐獅子図屏風」

美術⑩ 日本美術（江戸～大正）

実践日　　年　月　日

正答数　／11点

問1

浮世絵などの江戸美術について、空欄に入る語句を選択肢から選びなさい。

17世紀後半には町人の文化が生まれる。それを代表するのが浮世絵である。菱川師宣は木版で「(①　　　　　)」を残す。やがて浮世絵は2人の巨人を同時期に生む。1人は美人画で有名な（②　　　　　）で、もう1人は歌舞伎役者の顔を誇張して描いた（③　　　　　）であった。(②）は女性の微妙な表情やしぐさで、内面まで表現しているとして支持された。(③）は本名も経歴も不明で、わずか10カ月の活動期間に約140点の作品を仕上げた謎の絵師。また、風景版画として、大胆な構図の傑作「富嶽三十六景」を生み出した（④　　　　）も登場した。その後、(⑤　　　　）が「東海道五十三次」という風景画の連作を残した。

選択肢

東洲斎写楽　葛飾北斎　北斎漫画　歌川広重　見返り美人図　錦絵　喜多川歌麿

問2

明治から大正の日本美術について、空欄に入る語句を選択肢から選びなさい。

江戸幕府は1867年に倒れ、翌年から明治政府となった。時代は西洋化が進み、美術でも西洋風の油絵が推奨された。この時期の代表作は（①　　　　）の「鮭」である。1882年頃、アメリカ人の（②　　　　　）が日本画は西洋画に負けないものであると評価。ここで指導者として日本画の革新を行ったのが（③　　　　）である。(③）は、1887年、東京美術学校を開校する。ここに（④　　　　）、菱田春草、下村観山らが入学してきた。一方、洋画では、パリに留学した（⑤　　　　）が帰国。(⑤）は東京美術学校の教授にもなり、青木繁らを育てる。青木は「(⑥　　　　)」などの代表作を残して夭逝した。大正以降、岸田劉生（りゅうせい）、高村光太郎、安井曽太郎、関根正二、今村紫紅（しこう）、安田靫彦（ゆきひこ）、速水御舟（ぎょしゅう）、梅原龍三郎、村上華岳（かがく）、土田麦僊（ばくせん）、古賀春江など様々な画風の作家が生まれた。

選択肢

横山大観　黒田清輝　海の幸　高橋由一　フェノロサ　岡倉天心

正解／解説・補足

問1　①見返り美人図　②喜多川歌麿　③東洲斎写楽　④葛飾北斎　⑤歌川広重

問2　①高橋由一　②フェノロサ　③岡倉天心　④横山大観　⑤黒田清輝
⑥海の幸

江戸大衆文化の象徴となった浮世絵

17世紀後半になり版画の技術が上がることで、町人に向けた大衆文化が花開く。それが浮世絵であった。**菱川師宣**や錦絵に携わった鈴木春信を経て、18世紀末には美人画の**歌麿**、歌舞伎役者を描いた**写楽**という二人の巨匠を生む。白や紅の雲母摺りの背景で高級感を出した歌麿の美人画に対し、写楽は背景を黒の雲母摺りにして役者の力強さを演出した。**北斎**は19世紀前半に、4つの季節でそれぞれ大胆な構図で描いた**「富嶽三十六景」**を発表する。なかでも**「神奈川沖浪裏」**は世界的にも知られた名画である。その北斎を超えようとしたのが江戸末期の**歌川広重**で、**「東海道五十三次」**も現在に残る名作となっている。

葛飾北斎の「神奈川沖浪裏」（富嶽三十六景）

明治・大正の画家たち

高橋由一の**「鮭」**は日本近代油彩画の出発点とされる。徹底したリアリズムを油絵で描いた同作は現代に通じる普遍性がある。同時期、アメリカ人のフェノロサは日本美術の美を発見し、日本画を推奨した。フェノロサの指導を受けた岡倉天心のもと、多くの画家が輩出した。**「屈原」**や**「生々流転」**などを描いた**横山大観**はその代表だった。洋画では、パリ帰りの**黒田清輝**が**「湖畔」**といった傑作を残す。**青木繁**は「海の幸」を残すが29歳で早世する。昭和に入ると、日本画で**川合玉堂**、**上村松園**、**鏑木清方**といった画家が生まれた。洋画では、パリに留学した**佐伯祐三**のほか、1920年代には、エコール・ド・パリと呼ばれたパリ派の画家を代表する**藤田嗣治**が世界的な画家となった。

高橋由一の「鮭」

ロマネスク様式とゴシック

476年に西ローマ帝国が滅亡したあと、ゲルマン民族のフランク王国が現在のヨーロッパの原型となる領土を支配した。その後11世紀から12世紀に、ロマネスクの芸術様式が栄えた。ロマネスク様式はローマ風という意味がある。キリスト教の影響力が増したこの時代、この様式を持った修道院が多く生まれた。ロマネスク様式の建築物は、重い石の屋根を支えるため、柱が太く石壁も厚く、窓は大きくすることができず、内部の空間も暗いものになった。代表的建築物はピサの大聖堂などである。

12世紀後半になると一転する。先鞭(せんべん)をつけたのはサン＝ドニ修道院院長のシュジェールだった。暗い教会を、柱と支柱によって壁を薄く、窓を大きくし、ステンドグラスによって光に満ちた明るく豪華な教会に変えた。ゴシックの誕生である。文化の担い手は、聖職者以外に裕福な市民なども加わり、芸術様式もゴシックに変わった。ゴシックの名はゴート民族に由来する。

ピサの大聖堂

同時にゴシック建築は、より神に近づくために、高い尖塔(せんとう)を築き垂直性を強調した。代表的建築物であるフランスのシャルトル大聖堂の扉口には、人像円柱の彫刻も生み出された。

一方、絵画では美しい写本が生み出され、13世紀末から14世紀初頭にチマブーエやその弟子のジョットがフレスコ画を残し、初期ルネサンスへつなげた。

シャルトル大聖堂のステンドグラス

世界史

人類の誕生から四大文明

実践日　　年　月　日

正答数
／14点

問1

人類社会の発展のプロセスについて、空欄に入る語句を選択肢から選びなさい。

現生人類である（①　　　　　　　　）は、約（②　　）万年前に出現し、それまでにも使用されていた打製石器の石刃、（③　　）などの鋭利な石器を作った。さらに、（④　　　　）を用いて銛や釣り針を作り、投げ槍や弓矢も利用したことで、狩猟と漁労による動物の獲得量が増えた。フランス南西部の（⑤　　　　）で洞穴絵画が描かれたのもこの頃のことである。

約（⑥　　）万年前、地球の気候が温暖化すると、人類は磨製石器の使用、（⑦　　）の家畜化を始めただけでなく、農耕技術を獲得し、農耕・牧畜生活を始めた。これにより人類の文明の黎明期が始まったと考えられる。また、磨製石器の他に、土器、織物、（⑧　　　　　）による小屋なども作るようになった。

選択肢

ホモ・サピエンス　ネアンデルタール人　100　20　鏃　骨角器　リヨン　ラスコー　10　1　犬　馬
日干し煉瓦　材木

問2

古代オリエント文明の発展について、空欄に入る語句を選択肢から選びなさい。

農耕・牧畜社会へと移行した人類は、エジプト・メソポタミア・（①　　　）・中国の大河流域で、いわゆる四大文明と呼ばれる高度な古代文明を築くこととなった。これら4つの地域には共通する特徴があった。いずれも河川の流域にある肥沃な（②　　　）に恵まれており、穀物を栽培するのに適していたのである。（③　　　　　　　　　　）川流域のメソポタミア文明と（④　　　　）川流域のエジプト文明が興った西アジアからエジプト・東地中海岸、インダス川流域まで至る範囲のことを「（⑤　　　　　）」と呼んだ。メソポタミアでは紀元前4000年頃までに（⑥　　　　　）人による都市国家が成立。エジプトでは紀元前3000年頃に上エジプト王国が（④）川流域を統一していた。

選択肢

エーゲ　ナイル　ティグリス・ユーフラテス　平野　オリエント　シュメール　インド

正解／解説・補足

問1 ①ホモ・サピエンス ②20 ③鏃 ④骨角器 ⑤ラスコー ⑥1 ⑦犬 ⑧日干し煉瓦

問2 ①インド ②平野 ③ティグリス・ユーフラテス ④ナイル ⑤オリエント ⑥シュメール

農耕・牧畜の始まり

約1万年前まで、人類はもっぱら狩猟と採集によって生存してきていたが、農耕・牧畜技術を身につけたことで、生存能力が飛躍的に向上し、文明を築く下地ができあがった。

最初の農耕・牧畜は西アジアに端を発する。西アジアの広範囲では、野生の麦類、野生のヤギ、ヒツジ、ブタなどに恵まれていたため、それらを栽培、飼育することが他の地域に比べて比較的容易に始められたのである。約9000年前には、中央アメリカではカボチャやヘチマ、8000年前までには中国でもアワ、キビ、イネが栽培されたと考えられる。

メソポタミア文明とエジプト文明

シュメール人による都市国家は、北部のセム語系遊牧民のアッカド人によって征服されたあと、セム語系の**バビロン第一王朝**が成立したため、メソポタミア文明には強大な専制君主が君臨する王朝が以後続くこととなった。その最盛期はいわゆる**「ハンムラビ法典」**で知られる紀元前18世紀頃のハンムラビ王の時代である。

エジプトでは、紀元前3000年頃に生まれた上エジプト王国において**ファラオ**と呼ばれる王の支配が続き、ピラミッドの多くはその初期の時代に築かれたと考えられている。

エジプトにあるギザの大ピラミッド

中国の古代王朝

実践日　　年　月　日

正答数
／14点

問1

古代中国における王朝について、空欄に入る語句を選択肢から選びなさい。

紀元前2000年代中頃の黄河下流域には、（①　　）と呼ばれる集落が数多く存在し、これを統率する連合体が存在していたことがわかった。これを（②　　）王朝と呼ぶが、現在の中国では商を正式な国号としている。殷王朝は、紀元前1100年頃に、（③　　）という王朝に滅ぼされ、周王朝は一族の功臣たちに所領を与えて世襲の諸侯にしたり、諸侯に貢ぎ物を収めさせ軍事に従事させたりと、血縁秩序を元にした（④　　）制を確立した。その後、周が東遷すると数世紀にわたって有力な諸侯が争い合う（⑤　　）・戦国時代に突入、諸侯らは血縁に関係なく実力のある人間を取り立てて要職に就け、領内を郡・県に区分して王が任命する官吏に統治させた。これを（⑥　　）制という。

選択肢

郡県　邑　周　殷　春秋　青銅　封建

問2

中国における古代統一国家の過程について、空欄に入る語句を選択肢から選びなさい。

古代中国の戦国時代は、韓・趙・魏・楚・燕・斉・（①　　）といった国が争い続けていたが、紀元前221年、（①）によって統一され、はじめて古代統一国家が誕生した。（①）王の政は、皇帝の称号「（②　　）」を使用して自らの権威を高め、全国的な郡県制を敷いて官制を整備し、文字や貨幣を統一するなど、中華大陸全土の支配権を確立していった。また、独裁体制を維持するために、民間の書物を焼く「（③　　）」を行ったり、儒者を生き埋めにする「（④　　）」を行うなどした。また、対外政策としては北方の（⑤　　）を倒し、万里の（⑥　　）を築いて異民族の侵入を防ごうとした。しかし、そうした独裁的な政策に人々は不満を持ち、始皇帝の死後まもなくして（⑦　　）・呉広の乱が起き、秦は滅ぶこととなった。秦のあとに天下を統一したのは、漢王朝の始祖である高祖（⑧　　）であった。

選択肢

匈奴　陳勝　坑儒　秦　劉邦　始皇帝　焚書　長城

正解／解説・補足

問1　①1邑　②殷　③周　④封建　⑤春秋　⑥郡県

問2　①秦　②始皇帝　③焚書　④坑儒　⑤匈奴　⑥長城　⑦陳勝　⑧劉邦

殷・周・春秋時代

殷王朝では、王が占いや祭事を行う特権を握り、民衆を支配していたと考えられている。殷王朝を倒した**周**王室では、王や諸侯の元に卿・大夫・士という世襲の支配階級がおり、彼らの領地には労働力として農民が定住し、農耕・養蚕などに従事していた。当時の農耕に用いられていたのは、石器と木器であり、青銅器は武器または祭事に用いられていた。

春秋時代の諸侯は、はじめのうちは周王室を守ろうとしていたが、やがて諸侯たちが自ら王を名乗って覇権をめぐって争うようになり、**戦国時代**へと突入していった。

秦の始皇帝の独裁政策

政（後の始皇帝）は、13歳という若さで秦王となると、渭水盆地の灌漑を行って国力を伸ばし、軍備を増強した。また、秦のほとんどの政策の立案者だった法家の思想家・李斯を重用して、秦を法治国家として整備していった。

始皇帝は、皇帝という称号を子孫に世襲させる予定だったが、二代皇帝の胡亥の代で秦は滅亡した（紀元前206年）。始皇帝は皇帝という称号を作っただけでなく、皇帝の出す命令を制、皇帝が出す布告を詔、皇帝の一人称を朕と定めた。

秦の始皇帝

ギリシャ・ローマの時代

実践日　　年　月　日

正答数
／14点

問1

次の文章について、空欄に入る語句を選択肢から選びなさい。

紀元前2000年頃、ギリシャ人が（①　　　　　）半島南部に定着。ギリシャ人は各地に小王国を作り、のちに（②　　　）文明と呼ばれる文明を作った。紀元前1200年頃になると、（②）文明は一部の都市を除いて消滅し、約400年間の「暗黒時代」に突入。その間に鉄器が普及し、（③　　　　　　　　）文字が生まれた。紀元前8世紀半ば、ギリシャ人たちは、各地に（④　　　　）と呼ばれる都市国家を形成。大小200ほどのポリスが生まれ、なかでも有名なのは（⑤　　　　）とスパルタである。

紀元前4世紀後半、（④）群は、（⑥　　　　　　）によって制圧される。（⑥）の王フィリッポス2世の息子、（⑦　　　　　　　　　　）大王は、紀元前334年に（⑧　　　　　）遠征を行った。（⑦）大王の軍は、4年後には（⑧）帝国を滅亡させ、遠征開始から10年間で西はギリシャ・エジプト、東はインダス川流域まで大帝国を築いた。

選択肢

ミケーネ　ポリス　バルカン　クレタ　アルファベット　アテネ　ヘレニズム　バビロン　マケドニア　ファラオ　アレクサンドロス　アケメネス　シリア　ペルシャ

問2

ローマ帝国の領土について、空欄に入る地名を選択肢から選びなさい。

選択肢

イスパニア
エジプト
ガリア
メソポタミア
ローマ
ブリタニア

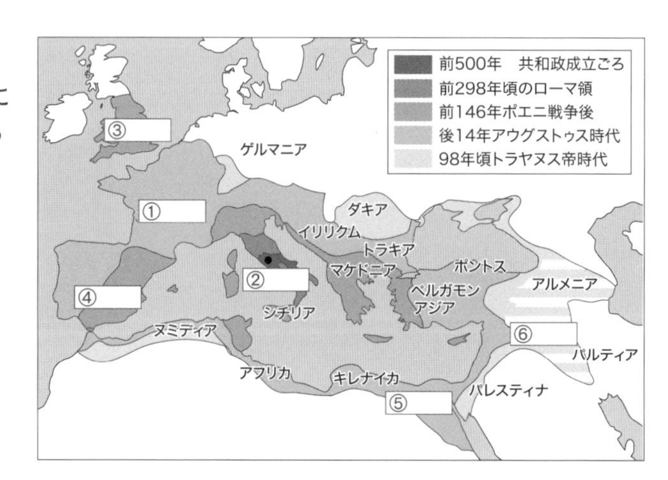

正解／解説・補足

問1　①バルカン　②ミケーネ　③アルファベット　④ポリス　⑤アテネ
⑥マケドニア　⑦アレクサンドロス　⑧ペルシャ

問2　①ガリア　②ローマ　③ブリタニア　④イスパニア　⑤エジプト
⑥メソポタミア

ギリシャのポリスとアテネの民主政治

都市国家ポリスは社会の安定とともに人口が増加し、紀元前8世紀半ばから約200年間にわたって植民活動を展開し、その領域を拡大した。ポリスには、貴族と平民が存在していたが、領域拡大による平民の軍事的役割が増大したことで、貴族と平民との間で対立が生まれた。

アテネでは紀元前6世紀末頃、クレイステネスの改革によって民主政治の礎が築かれ、僭主（せんしゅ）となる可能性のある人物を追放する投票システム「陶片（とうへん）追放」制度も生まれた。

学術研究の中心となったエジプトのアレクサンドリア

アレクサンドロス大王は、アケメネス朝ペルシャを滅亡させて、各地に**アレクサンドリア**という都市を建設した。ヘレニズム文化の学問の中心となったエジプトのアレクサンドリアには、王立研究所や図書館などが作られた。研究所は**ムセイオン**と呼ばれ、英語のMuseumの語源であり、各地から学者たちが招聘されて研究に従事した。ムセイオン出身の学者には、ユークリッド幾何学の**エウクレイデス**、アルキメデスの原理の**アルキメデス**、**アリスタルコス**などがいた。

ローマ帝国の誕生

ラテン人がイタリア半島中部に築いた都市国家のローマは、紀元前509年頃、王政から貴族を中心とする共和政に移行した。しかし、貴族と平民との対立が激化したため、貴族側が譲歩することで紀元前1世紀末には身分闘争に終止符が打たれた。対外的には三度にわたる**ポエニ戦争**を経て地中海全域を支配地とし、西ヨーロッパにまで及ぶ大国家となった。紀元前27年には、共和制から帝政となり**アウグストゥス**が初代皇帝に即位、ローマ帝国が誕生した。

イスラム帝国

実践日　　年　月　日

正答数　／12点

問1

預言者ムハンマドとイスラム教について、空欄に入る語句を選択肢から選びなさい。

7世紀初頭、(①　　　　)の商人であった(②　　　　　)は、唯一神アッラーの啓示を受け、自らを神の使徒であるとしてイスラム教を創始した。イスラム教は(③　　　)崇拝を厳しく禁じており、多神教を信じる人々から激しい弾圧を受け、622年、(②)は少数の信者とともに(④　　　　)へ移り住んだ。これを「(⑤　　　　　)(聖遷)」という。その後、(②)は自らを最高指導者とするイスラム教徒の共同体「(⑥　　　　)」を組織し、徐々にその勢力を拡大させていった。その後、(②)は(⑥)を率いて(①)を征服し、多神教のカーバ神殿から偶像を排除して、イスラム教の聖殿に定めた。

選択肢

ヒジュラ　ウンマ　メッカ　ムハンマド　偶像　メディナ

問2

イスラム帝国の成立と発展について、空欄に入る語句を選択肢から選びなさい。

ムハンマドの死後、残されたイスラム教徒(ムスリム)たちは、ムハンマドの後継者を意味する「(①　　　　)」という新しい指導者を選出した。はじめに選ばれた4人の(①)は、「正統(①)」と呼ばれた。そして、カリフの指揮のもとで「(②　　　　　)(聖戦)」を開始した。(②)とは、イスラム教徒と異教徒との戦いのこと。7世紀中頃には、(③　　　　　)ペルシャを滅亡させ、(④　　　　　)帝国からシリアとエジプトの支配権を奪うまでに至った。第4代正統カリフのアリーが暗殺されると、5人目のカリフ、(⑤　　　　　　)がシリアのダマスカスにウマイヤ朝を開き(661年)、勢力圏を拡大。750年にムハンマドの家系に近い(⑥　　　　　)朝が生まれると、イスラム帝国の体制はほぼ確立した。

選択肢

ムアーウィヤ　ビザンツ　カリフ　アッバース　ジハード　ササン朝

正解／解説・補足

問1 ①メッカ ②ムハンマド ③偶像 ④メディナ ⑤ヒジュラ ⑥ウンマ

問2 ①カリフ ②ジハード ③ササン朝 ④ビザンツ ⑤ムアーウィヤ ⑥アッバース

神の啓示を収集・編纂した「コーラン」

イスラム教の聖典「コーラン」は、創始者**ムハンマド**が受けた神の啓示を、死後に収集し、編纂（へんさん）したものとされる。イスラム教は、ユダヤ・キリスト教の流れを汲んでいるため、コーランの内容も「旧約聖書」や「新約聖書」に近似している。また、イスラム教においても、旧約聖書と新約聖書はコーランと並んで聖書として認められている。

ウマイヤ朝でカリフが世襲制になる

ウマイヤ朝は、5人目のカリフ・**ムアーウィヤ**が、それまでムスリムによって選出されていたカリフに自分の息子を就かせたことにより、以後は世襲制が定着。ウマイヤ朝は、東は中央アジアの西半分、西は北アフリカまでを征服する大帝国となった。ウマイヤ朝では、征服民のムスリムが、被征服民たちに**人頭税（ジズヤ）**と**地租（ハラージュ）**を課す制度をとった。

信徒の平等を実現させたアッバース朝

ウマイヤ朝では、イスラム教に改宗しても被征服民は人頭税や地租を課され続けるという不平等な扱いを受けた。ムハンマドの子孫である**アッバース**家は、この被征服民の不満を巧みに利用し、ウマイヤ朝を打倒してアッバース朝を建てる。これにより、イスラム教徒であれば被征服民でも平等に扱われるという、信徒の平等が実現した。

モンゴル帝国

実践日　　年　月　日

正答数　／10点

問1

モンゴル帝国の隆盛と衰退について、空欄に入る語句を選択肢から選びなさい。

1218年、チンギス・ハンは、西遼とナイマンを滅ぼし、その後、中央アジアの（①　　　　　　　）朝に遠征を行い滅亡させた。また、西夏はその遠征に参加しなかったことを理由に滅ぼされるなど、モンゴル軍の精強な騎馬軍団は瞬く間に多くの国を征服していった。チンギス・ハンは、（②　　）の征服に向かおうとした陣中で死去したが、その遺志を継いだ（③　　　　）が南宋と手を組んで、1234年ついに（②）を滅ぼした。その後は、チンギスの孫バトゥがロシアから東欧へ攻め入り、同じくチンギスの孫フレグが西アジアの（④　　　　　）朝を倒した。1271年には、（⑤　　　　　）・ハンが、国名を（⑥　　）と改め、鎌倉幕府が政権を握っていた日本に攻め入るなどした。

選択肢

金　フビライ　ホラズム・シャー　元　オゴタイ　ウマイヤ　アッバース　清

問2

モンゴル帝国（元王朝）の勢力図を見て、空欄に入る語句を選択肢から選びなさい。

選択肢

イル・ハン　フビライ・ハン　キプチャク・ハン　元　金　オゴタイ・ハン

正解／解説・補足

(問1) ①ホラズム・シャー　②金　③オゴタイ　④アッバース　⑤フビライ　⑥元

(問2) ①キプチャク・ハン　②オゴタイ・ハン　③イル・ハン　④元

11～12世紀の中国で割拠した国家群

11世紀から12世紀にかけて中国大陸には、多くの国家が乱立していた。モンゴル系の契丹族を統合した耶律阿保機が建国した**遼**、チベット系のタングートが建国した**西夏**、女真族が建てた**金**、遼の皇族であった耶律大石が遼の滅亡後に建国した**西遼（カラ=キタイ）**、その他にも北宋、南宋、吐蕃、大理などの国家群が割拠していた。

元の中国・朝鮮支配

朝鮮半島の高麗も、1231年、元の属国となることに合意し、1273年には完全な支配下に置かれた。南宋は、国内の勢力争いなどが原因で国力が衰え、1279年、元に滅ぼされた。また、7世紀にチベットで建国された吐蕃は、唐の時代に中国に侵入するほど強大になったが、その後は分裂し、初代皇帝に即位する前の**フビライ**によって征服された。

モンゴル帝国の分割支配体制

モンゴル帝国はあまりにも広大だったため、チンギス・ハンは息子たちに占領地を統治させた。ロシアに**キプチャク・ハン国**、中央アジアに**チャガタイ・ハン国**、**オゴタイ・ハン国**、イラン・イラク方面に**イル・ハン国**が形成され、やがて独立してフビライ・ハンの元と連合を形成。フビライは、1271年にモンゴル高原にあったカラコルムから大都（現在の北京）へ遷都し、国号を**元**に改めた。1279年に南宋を滅ぼすと中国全土を掌中に収め、次いで日本、ベトナム、ジャワなどにも侵攻したが、これらの試みは失敗した。

チンギス・ハン

実践日　　年　月　日

正答数
／12点

問1

大航海時代について、空欄に入る語句を選択肢から選びなさい。

15世紀末から16世紀にかけて、ヨーロッパでは、マルコ・ポーロの『(①　　　　)』の影響でアジアへの関心が高まり、さらに東方貿易の主要な貿易品であった（②　　　　）がイタリア商人に莫大な利益をもたらしたことで、積極的な海外進出が始まった。また、地理学と羅針盤（らしんばん）の改良などの遠洋航海術の進歩もこれを後押しした。目指したのは主に（③　　　　）で、（④　　　　）（レコンキスタ）によってイスラム教徒をイベリア半島から駆逐した（⑤　　　　）とポルトガルの2つの新興国が海洋進出の先鞭をつけることとなった。小国だったポルトガルは、海洋貿易をきわめて重要視しており、1488年には（⑥　　　　）がアフリカ南端の喜望峰に到達し、ヴァスコ・ダ・ガマは喜望峰を迂回してインド洋を横断し、1498年にインド西南海岸に到達した。

選択肢

国土回復運動　バルトロメウ・ディアス　インド　東方見聞録　香辛料　スペイン

問2

ポルトガルの海洋進出について、括弧内の言葉に誤りがあれば直しなさい。

インド航路を開拓したあと、1505年、ポルトガルはエジプト一帯を治める（①アッバース）朝に戦いを挑んだ。これは、それまで（②香辛料）貿易を支配してきたアラブ勢力を排除するのが目的だった。

ポルトガルは（③ディーウ沖）海戦などで勝利を収めると（①アッバース）朝を破り、（④地中海）からアフリカ東方海域の航路を支配。1510年、東方貿易の拠点となる総督府をインドの（⑤カルカッタ）に置いた。

その後、東南アジアの香辛料貿易を独占し、明と通商関係を持ち、（⑥マカオ）にも居住を許され、1543年、日本の種子島にポルトガル人が乗った船が漂着したのを機に日本とも貿易を行うようになった。

①	②	③	④
⑤	⑥		

正解／解説・補足

問1　①東方見聞録　②香辛料　③インド　④国土回復運動　⑤スペイン
⑥バルトロメウ・ディアス

問2　①アッバース→マムルーク　②○　③○　④地中海→紅海
⑤カルカッタ→ゴア　⑥○

人類史上の大転換となった大航海時代

ヨーロッパ諸国による新航路、新大陸の発見は、人類史上における大きな転換をもたらした。同時期に起きたルネサンスは、ヨーロッパ人が新たな知識や技術を獲得する機運を盛り上げ、宗教改革もまたカトリック教会の布教熱を高める結果となった。大航海時代の出現は、進出先であるアジア、アフリカ、南北アメリカ大陸にも劇的な変化をもたらした。

スペインのラテンアメリカ支配

ポルトガルのライバル、スペインの王室は、アメリカ大陸に**征服者（コンキスタドール）**を送り込み、火砲や馬などを用いた軍隊によって、先住民の部族や小国家を滅ぼした。1521年、**コルテス**がメキシコのアステカ帝国を征服。1533年には**ピサロ**がインカ帝国を滅亡させて、ペルー・ボリビア地域一帯を支配下に置いた。こうしてスペインは、カリブ海諸島を含むラテンアメリカの広範囲を植民地とし、奴隷を使った銀山開発で莫大な利益をあげた。

コロンブスのアメリカ到達

海洋進出においてポルトガルに先を越されたスペインは、1492年、ジェノヴァ出身のイタリア人、**コロンブス**に命じてインド航路を開拓させようとした。コロンブスは、地理学者トスカネリの「インドへ行くには大西洋を西に進むべきである」という説を信じ、イサベル女王の援助を受けて出帆。2カ月以上の航海を経てバハマ諸島に到着し、これを**サンサルバドル**と名付けた。その後もカリブ海諸島とアメリカ大陸の一部を回ったものの、コロンブス自身はその周辺をインドだと信じていたため、先住民たちを**インディオ**と名付けた。

クリストファー・コロンブス

ヴァスコ・ダ・ガマ

フェルディナンド・マゼラン

エルナン・コルテス

フランシスコ・ピサロ

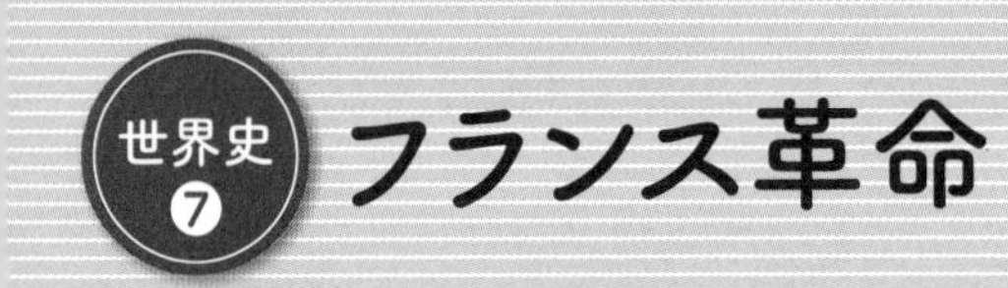

実践日　　年　月　日

正答数　　／11点

問1

フランス革命が起きた経緯について、空欄に入る語句を選択肢から選びなさい。

17～18世紀の絶対王政下のフランスでは、専制政治と（①　　　　　　）（旧制度）と呼ばれる身分制度によって、市民の経済活動は妨げられ、不満が蓄積していた。しかし、フランス革命の発端は、市民ではなく貴族や聖職者ら特権階級から起こった。国王（②　　　　　）の特権階級への課税に反発し、貴族や聖職者は1614年以来開かれていなかった（③　　　）会の招集を要求。市民の代表は貴族や聖職者らと結託して国民議会を立ち上げ、憲法の制定を要求。これを（②）が武力で鎮圧しようとしたことで、パリの民衆の怒りが爆発。1789年7月14日、民衆が（④　　　　　　）を襲撃してフランス革命が始まった。同年8月、国民議会は封建制の廃止を宣言して、人間の自由平等・主権在民・私有財産の不可侵を謳（うた）った「（⑤　　　　　）」を採択した。

選択肢

ブルジョア　アンシャン・レジーム　ルイ13世　ルイ16世　三部　議員　ヴェルサイユ宮殿
バスティーユ牢獄　人権宣言　マグナ・カルタ

問2

フランス革命の終焉について、括弧内の語句に誤りがあれば直しなさい。

1792年、ルイ16世の王権は停止されて国民公会が成立。翌93年、ルイ16世は処刑されたが、革命勢力の間で、（①ジロンド）派、ジャコバン派の派閥が生まれ対立する。（②バブーフ）が率いるジャコバン派が権力を掌握すると、恐怖政治を敷くようになり、（②バブーフ）は保守派の反撃に遭って処刑される。国内情勢は相次ぐクーデターにより不安定さを増した。このような情勢下で登場したのが（③シチリア島）出身の軍人、（④ナポレオン）・ボナパルトだった。（④ナポレオン）はイタリア遠征、（⑤アルジェリア）遠征などで輝かしい戦功を立てていたが、1799年11月9日、突如として軍事クーデターを起こし、総裁政府を打倒して（⑥総統）政府を打ち立て、政権を握った。

①	②	③	④
⑤	⑥		

正解／解説・補足

問1　①アンシャン・レジーム　②ルイ16世　③三部　④バスティーユ牢獄
⑤人権宣言

問2　①○　②バブーフ→ロベスピエール　③シチリア島→コルシカ島　④○
⑤アルジェリア→エジプト　⑥総統→統領

フランス革命への外国の干渉

国民議会は、1791年、立憲君主制を定めた憲法を制定。その直前に、国王ルイ16世の一家は国外逃亡を図るが失敗（**ヴァレンヌ逃亡事件**）。国民からの信頼は完全に失墜。このままフランス革命は成就するかと思われたが、隣国のオーストリアやプロイセンが、自国にも同様の革命が及ぶことを警戒し、フランス領へ攻め込んだ。これに対し、フランス全土から義勇兵が集まって戦い、さらに革命を激化させた。

フランス革命の変遷とナポレオンによる終焉

フランス革命は、第1段階で立憲君主制が樹立され、第2段階でルイ16世の君主制が停止。第3段階で国民公会の成立により共和制が始まり、第4段階で**ジャコバン派**の独裁が行われ、第5段階で総裁政府が樹立されるというプロセスを通った。しかし、国内の政情不安は続き、国民はフランスに秩序をもたらしてくれるカリスマ的な指導者を求めるようになった。そこに登場したのが、フランス革命に終止符を打つことになる**ナポレオン**だった。

ロベスピエール

ナポレオン

第一次世界大戦・第二次世界大戦

実践日　　　年　　月　　日

正答数　　／11点

問1

第一次世界大戦に関する図と解説について、空欄に入る語句を選択肢から選びなさい。

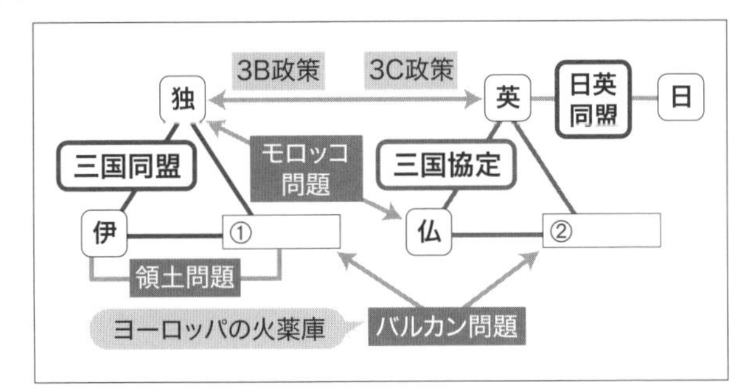

■モロッコ問題･･･1905年および1911年に2回発生したドイツと（③　　　　）の国際紛争事件。戦略上の要衝だったモロッコをめぐる対立。

■3B政策･･･ドイツ皇帝ヴィルヘルム2世による戦略。ベルリン・ビザンティウム・バグダッドの3都市間に鉄道を敷設（ふせつ）して周辺地域をドイツの経済圏に吸収しようとしたため、ドイツと（④　　　　）との間の対立を生んだ。

■3C政策･･･イギリスが推進した政策。（⑤　　　　）・ケープタウン・カルカッタ間に鉄道を敷設しようとして、ドイツの3B政策と対立。

選択肢

イギリス　オーストリア　カナダ　カイロ　スペイン　トルコ　フランス　ロシア

問2

第二次世界大戦勃発の経緯について、括弧内の言葉に誤りがあれば直しなさい。

1938年3月、アドルフ・ヒトラー率いるナチス・ドイツが、（①スイス）を併合。こうしたヒトラーの膨張政策に対して、イギリスの首相（②ヘンダーソン）は、同年9月のミュンヘン会談でドイツによるチェコスロバキアの（③ズデーデン）地方の併合を認めるなど宥和（ゆうわ）政策をとった。そのため、ナチス・ドイツは増長し、他国への侵略を拡大。1939年8月にはソ連と（④独ソ軍事同盟）を結び、同年9月に（⑤ベルギー）に電撃的に侵攻した。（⑤ベルギー）と同盟を結んでいたイギリスと（⑥フランス）がドイツに宣戦布告を行い、第二次世界大戦が勃発（ぼっぱつ）した。

①	②	③	④
⑤	⑥		

正解／解説・補足

問1　①オーストリア　②ロシア　③フランス　④イギリス　⑤カイロ

問2　①スイス→オーストリア　②ヘンダーソン→チェンバレン　③○
④独ソ軍事同盟→独ソ不可侵条約　⑤ベルギー→ポーランド　⑥○

列強の世界侵攻と植民地化

この時代の帝国主義・列強の動きとして、イギリスは、スエズ運河を掌握し、ビルマ（現・ミャンマー）を植民地とした。アメリカは、ハワイを侵略し併合。**米西戦争**に勝利するとフィリピンも植民地とした。ロシアは、シベリア鉄道の建設を進めて太平洋岸のウラジオストックに軍港を建設し、南下政策を進めた。

バルカン問題で第一次世界大戦勃発

第一次世界大戦の直接的な原因となったのは、**バルカン半島情勢**であった。19世紀後半から20世紀にかけて、バルカン半島では、オスマン帝国の衰退を機にセルビアやモンテネグロといった諸民族の独立運動が起きる。さらに西欧列強による介入もあり、政情不安定な状態となった。このような状況下で、1914年、バルカン半島のサラエボでオーストリア皇太子夫妻が暗殺される事件が起き、これをきっかけとして第一次世界大戦が勃発した。

ナチスの侵攻と日本・イタリアの参戦

第二次世界大戦の開戦後、ナチス・ドイツ軍は、デンマーク、ノルウェーを占領し、さらにオランダ、ベルギーにも攻め込んだ。1940年にはパリを占領してフランスを降伏させ、イギリス本土へ空襲を開始した。ムッソリーニ率いるイタリアもドイツ側として参戦。日本は1940年にドイツ、イタリアとともに**日独伊三国軍事同盟**を結んだ。これにより、太平洋地域における日本とイギリス・アメリカの対立が決定的なものとなった。

アドルフ・ヒトラー

東西冷戦と中国

実践日　　年　月　日

正答数
／10点

問1

東西冷戦について、空欄に入る語句を選択肢から選びなさい。

第二次世界大戦終結後、世界の国々は、アメリカやイギリスの自由主義・(①　　　) 主義国家を中心とした「西側」陣営と、ソビエト連邦が多大な影響力を持つ (②　　　) 主義・共産主義国家を中心とした「東側」陣営とに分かれ対立。両陣営の中心的存在のアメリカとソ連は、直接戦争はしないが激しく対立していたため、この現象を「冷戦」と呼んだ。ただし、直接戦争はしないが、アメリカとソ連が関わった戦争として、朝鮮戦争や (③　　　) 戦争などが起きた。冷戦の対立構造を反映し、朝鮮半島は北朝鮮と韓国に、ドイツは東ドイツと西ドイツに分裂された。

しかし、1989年、冷戦の象徴だった (④　　　) の壁が崩壊。そして1991年にはソ連が崩壊し、東西冷戦は西側諸国の勝利となった。

選択肢

社会　ベルリン　資本　帝国　ベトナム　中東　ユニセフ　国際連合

問2

中華人民共和国の成立について、空欄に入る語句を選択肢から選びなさい。

太平洋戦争が終結すると、1945年8月末に (①　　　) 党の毛沢東と国民党の (②　　　) で重慶会談を開催し、統一政府の設立を話し合った。ところが、翌46年1月の話し合いで深刻な対立が鮮明になり、アメリカの取りなしも空しく、同年6月26日、第二次 (③　　　) が勃発した。当初、戦局は国民党が圧倒的優勢を誇っていたが、1948年9月から (①) 党の人民 (④　　　) 軍が、破竹の勢いで国民党の国民革命軍を各地で撃破。1949年1月31日には人民(④)軍が北京に無血入城した。同年4月には国民党の首都・(⑤　　　) も陥落し、国民党首脳部は広州から重慶へ逃れた。同年10月1日、毛沢東は中華人民共和国の樹立を宣言。(②) をはじめとする国民党の要人たちは (⑥　　　) に逃れて、中華民国を存続させる道を選んだ。

選択肢

解放　国共内戦　長征　台湾　共産　孫文　自由　上海　蒋介石　南京

正解／解説・補足

問1 ①資本　②社会　③ベトナム　④ベルリン

問2 ①共産　②蒋介石　③国共内戦　④解放　⑤南京　⑥台湾

冷戦が生んだ「鉄のカーテン」

冷戦がはじまると、西側は1949年、自由主義・資本主義陣営による軍事同盟である**北大西洋条約機構（NATO）**を結成し、一方、東側陣営も1955年に**ワルシャワ条約機構**を結成し、互いに対立した。

また、冷戦時代の欧州で、東西両陣営の対立関係、緊張状態を表わす言葉として「鉄のカーテン」という比喩(ひゆ)が生まれた。

NATOの旗

毛沢東による中華人民共和国の建設

第二次国共内戦に勝利した**毛沢東**(もうたくとう)は、1949年6月、新政治協商会議準備会議を開いて、新たな国家建設の基本方針を協議。同年9月の人民政治協商会議において国号を中華人民共和国に、首都を北京に定めた。

政府主席として毛沢東、副主席に**朱徳**(しゅとく)と**劉少奇**(りゅうしょうき)が選出された。同年10月1日の建国の日には、**五星紅旗**(ごせいこうき)が国旗に制定された。

1950年、イギリスが西側諸国の中ではじめて中国を国家として承認。1972年には日中国交正常化がなされた。

毛沢東

五星紅旗

911同時多発テロ事件・アラブの春

実践日　　年　月　日

正答数
／10点

問1

911同時多発テロ事件について、括弧内の言葉に誤りがあれば直しなさい。

2001年9月11日、ボストン発ロサンゼルス行のユナイテッド航空175便など4機の旅客機が何者かによってハイジャックされ、ニューヨークの（①世界通商センタービル）（略称：WTC）、（②国家安全保障省）（通称：ペンタゴン）、ペンシルベニア州のピッツバーグ近郊に墜落させられた。2機が墜落した（①世界通商センタービル）は2棟が倒壊、（②国家安全保障省）の庁舎には大きな穴が開いた。犠牲者は、総計で約3800人（諸説あり）とされ、1日に起きたテロとしては、未曾有（みぞう）の大惨事となった。犯人は（③ウサーマ・ビン・ラーディン）率いるイスラム原理主義組織の「（④アルカイーダ）」のメンバーとされる。アメリカはこのテロを受け、有志連合諸国とともに、報復として翌10月にアフガニスタン紛争を起こし、（⑤ムジャヒディーン）政府、（④アルカイーダ）の武装勢力と戦った。この紛争は長期化し、2021年現在も終息を見ていない。

①	②	③	④
⑤			

問2

アラブの春について、空欄に入る語句を選択肢から選びなさい。

2010年12月、（①　　　　）全土で民主化を求める政権打倒運動（ジャスミン革命）が発生し、翌2011年1月、独裁政権を続けていた（②　　　　）大統領は国外に逃亡した。このチュニジアの民主化運動はエジプトにも波及し、（③　　　　）大統領の長期政権が崩壊。また、リビアでは（④　　　　）政権と反体制派の間で激しい戦闘が起き、2011年8月、首都（⑤　　　　）を制圧されたカダフィ政権は崩壊した。2010年から2012年まで及んだ、中東・北アフリカ地域で起きた一連の民主化運動のことを「アラブの春」と呼ぶ。

選択肢

シリア　サダム・フセイン　トリポリ　カダフィ　チュニジア　ムバラク　ベン・アリー

正解／解説・補足

問1	①世界通称センタービル→世界貿易センタービル ②国家安全保障省→国防総省　③○　④○ ⑤ムジャヒディーン→ターリバーン
問2	①チュニジア　②ベン・アリー　③ムバラク　④カダフィ　⑤トリポリ

世界史

ホワイトハウスも狙っていた911同時多発テロ

ペンシルバニア州のピッツバーグ近郊に墜落したユナイテッド航空93便は、ワシントンD.C.のホワイトハウスを目標としていたとされるが、乗客・乗員がハイジャック犯に激しく抵抗したため、目標に到達せずに途中で墜落させられた。911同時多発テロのハイジャック犯は計19名で、国際テロ組織**アルカイーダ**のメンバー。4機の航空機に4～5名程度に分かれて乗り込み、全員がこのテロによって死亡した。

911同時多発テロ

アラブの春の広がり

「アラブの春」の始まりは2010年12月17日、チュニジアで失業中だった一人の青年が、警察当局の路上販売への取り締まりに対して抗議する目的で焼身自殺を図ったことだった。これを機に各地で大規模な抗議デモが発生し、マスコミが大きく報道したことでさらに加熱していった。チュニジアの民主化運動は国境を越え、アラブ各国で反体制デモが発生。リビアでは、**カダフィ政権**の自国民への武力行使を問題視した国連安保理決議によって英・米・仏の多国籍軍が軍事行動を開始。これが42年間にわたるカダフィ政権の崩壊を決定づけた。

中国の易姓革命

中国の王朝においては、「徳」と呼ばれる道徳的な能力が重要な役割を持つ。儒教において徳は、君主（天子）が備えていなければならない能力として重んじられ、徳が断絶することが、その王朝が断絶することを意味していた。この思想は、「易姓革命（えきせいかくめい）」として知られる。易姓革命では、天子は天命によって決まり、同じ姓で受け継がれるが、その天子の家系に徳がなくなれば、他の人間が天命によって天子に取って代わる。そのため「姓が変わる」ことから易姓革命という。

ナポレオン戦争

フランス革命下の1799年、ナポレオンは軍事クーデターで総裁政府を打倒し、統領政府を打ち立て、第一統領に就任した。ナポレオンは、国内外の情勢を安定させ、1804年に国民投票によって皇帝に即位。ナポレオン1世を名乗った。

1805年、第三回対仏大同盟が結成され、イギリスはトラファルガーの海戦（1805年10月）でフランス・スペイン艦隊を打ち破った。ナポレオンはアウステルリッツの戦い（1805年12月）でオーストリア・ロシア連合軍を破り、その後もプロイセン・ロシア連合軍を破って、ヨーロッパの大部分をフランスの支配下に置くまでに至った。

日本史

縄文時代・弥生時代

実践日　　年　月　日

正答数　／9点

問1

弥生時代に農耕文化について、括弧内の言葉に誤りがあれば直しなさい。

日本が縄文時代だった紀元前6500～5500年頃、中国大陸では、北の（①長江）中流域でアワやキビ、南の（②黄河）下流域では稲作が始まり、農耕社会が生まれた。紀元前6世紀頃には、（③鉄製）農具の使用が始まり、農産物の生産性が著しく向上した。この農耕技術は、中国から朝鮮半島を経て日本に伝わったと考えられている。縄文晩期の紀元前5世紀頃になると、朝鮮半島に近い日本の九州北部で（④水稲）耕作が始まった。（④水稲）耕作が始まった紀元前4世紀～紀元3世紀頃までを弥生（やよい）時代と呼ぶ。弥生時代には、（⑤赤銅器）と鉄器がもたらされ、銅鐸（どうたく）などの祭器や、銅剣などの武器に用いられた。

①	②	③	④
⑤			

問2

弥生土器の写真を見て、それぞれ正しい名前と用途の組み合わせを選びなさい。

①（　　　　）
②（　　　　）
③（　　　　）
④（　　　　）

選択肢

壺―貯蔵用　甕―煮炊き用　高坏―供膳用　甑―穀物の蒸し器

正解／解説・補足

問1 ①長江→黄河 ②黄河→長江 ③○ ④○ ⑤赤銅器→青銅器

問2 ①高坏—供膳用 ②甑—穀物の蒸し器 ③壺—貯蔵用 ④甕—煮炊き用

日本列島の誕生と縄文文化

約1万年あまり前、地質学上の時代区分である完新世(かんしんせい)に入ると、日本列島の気候は温暖になり、氷河が溶けて海面が上昇し、ユーラシア大陸と切り離された。それまで日本列島にいた**ナウマンゾウ**やオオツノジカといった大型動物は減り、シカ、イノシシ、ウサギなどの中小型生物が増えた。

この時代の縄文文化を特徴づけるのは、殺傷力の強化された**磨製石器**と、鳥類や敏捷な小動物を仕留める弓矢、魚類を捕るための骨角器の出現、そして**縄文土器**の存在である。この土器の名づけ親は、東京都の**大森貝塚**を発見した動物学者**エドワード・モース**である。

縄文土器は保存や盛りつけにはあまり使われず、煮炊きに使われる深鉢形のものがほとんどだった。表面を平らにするために、より糸などを転がしたため、縄目のような文様ができ、それが縄文土器の名前の由来となっている。縄文土器は低温で焼かれ、厚く、黒褐色のものが多いが、時代区分によって微妙に特徴が異なる。縄文土器の時代区分は、草創期、早期、前期、中期、後期、晩期の6期。

鉄器と石器が併用されていた弥生時代

弥生時代にも鉄器は用いられていたが、鉄は腐食が進みやすいため、遺物として現存する弥生時代の鉄器はかなり少ない。弥生時代には、鉄器、青銅器の他、それまでの磨製石器も変わらず用いられていた。鉄器と石器が併用されていたため、弥生時代は**「金石(きんせき)併用時代」**とも呼ばれる。

用途が細分化されていった弥生土器

弥生土器は、縄文土器に比べて、高温で焼成されていたため、薄手で硬質、色は赤褐色のものが多かった。縄文土器にあった縄目のような文様はなくなり、幾何学紋様がつけられたものや、文様自体がないものが多かった。縄文土器に比べて用途は細分化され、多用された基本的な形は、壺、甕(かめ)、高坏(こうはい)の3器種だった。

実践日	年	月	日

邪馬台国

正答数 ／12点

問1

金印について、空欄に入る語句を選択肢から選びなさい。

■1784年、(①　　　　)志賀島で発見
■印面には「(②　　　　　)王」と記されている
■（③　　）の形の鈕（つまみ）がついている
■一辺は2.347cm
■中国の史料『(④　　　　)』の「建武中元二年、倭奴国、貢を奉じて朝賀す、使人自ら大夫と称す、倭国の極南界なり、(⑤　　　)、賜うに印綬を以てす」という記述に出てくる印綬が、この金印に相当すると考えられている

選択肢

漢委奴国　倭国　光武　武帝　福岡県　奈良県　蛇　龍　後漢書　魏志倭人伝

問2

邪馬台国と卑弥呼について、括弧内の言葉に誤りがあれば直しなさい。

倭国では、2～3世紀の弥生時代（①中期）になると、100ほどの小国に分かれていた国家群に様々な変化が訪れた。九州では幅の広い薄型の銅鉾・銅戈、瀬戸内海沿岸では平形の銅剣、近畿地方では銅鐸が作られた。中国では3世紀初期に(②後漢)が滅んで、魏・呉・蜀の三国時代が始まった。『(③蜀志)倭人伝』によると、倭国は大乱ののち、卑弥呼という女王が現れて邪馬台国を興したとされる。邪馬台国は30ほどの国で形成された連合国家であった。(④312）年、卑弥呼は魏に使いを送り、「(⑤親魏倭王)」の称号と印綬を授けられた。卑弥呼は呪力をそなえた祭司であり、(⑥妹）が統治を補佐していたとされる。邪馬台国の位置については諸説あり、(⑦対馬）説、大和説などがある。

①	②	③	④
⑤	⑥	⑦	

正解／解説・補足

(問1) ①福岡県　②漢委奴国　③蛇　④後漢書　⑤光武

(問2) ①中期→後期　②○　③蜀志→魏志　④312→239　⑤○　⑥妹→弟
⑦対馬→九州

光武帝から拝領した金印

紀元前後1世紀頃、日本は中国から**「倭」**と呼ばれていた。紀元57年、倭の**奴国王**が後漢の洛陽に使者を遣わして、光武帝から印綬を拝領したという記事が、『後漢書』の東夷伝に記されている。

金印は、1784年に福岡県志賀島で甚兵衛という名の百姓によって発見された。この金印が光武帝から拝領した印綬とされる。東夷伝には、紀元107年、倭国王**帥升**らが、**生口**と呼ばれる奴婢160人を後漢の安帝に献上したという記述もある。

漢委奴国王印

卑弥呼と大和朝廷の誕生

卑弥呼は、『**魏志倭人伝**』に、「鬼道を事とし、能く衆を惑は」したと書いてあるように、呪術で民衆に自分の占いを信じさせていたとされる。卑弥呼には、夫がおらず、弟が統治を補佐していた。

卑弥呼は魏に使いを送って魏の権威を借りて、連合国家の長としての権威を維持していたと考えられている。親魏倭王の称号の他に、金印紫綬、銅鏡100枚などを魏の明帝から授かったとされる。

3世紀半ば以降の古墳時代に入ると、大和地方を中心とする勢力が**「ヤマト王権」**と呼ばれる政治連合を形成。国内統一を進めていくなかで､大王（おおきみ）のもと、大和朝廷が形成された。

銅鐸

飛鳥時代・奈良時代

日本史③

実践日　　年　月　日

正答数　／11点

問1

飛鳥時代の政治について、空欄に入る語句を選択肢から選びなさい。

推古天皇の時代、聖徳太子（厩戸皇子）は様々な政策を実施した。603年には（①　　　　　）の制、604年には（②　　　　　）条を制定し、官僚制度を整備し、中央集権国家を目指した。聖徳太子の死後、大和朝廷で勢力を伸ばしていた蘇我氏の権勢が高まり、（③　　　　　）が大臣となると、その子・入鹿が、聖徳太子の子・山背大兄王を攻め滅ぼして政権を独占しようとした。645年、豪族の（④　　　　　）らは、蘇我氏への反発を抱いていた中大兄皇子とともに政変を起こして（③）・入鹿親子を殺害した。これを乙巳の変という。翌646年から、中大兄皇子が中心となって、土地・人民を朝廷が支配する（⑤　　　　　）制や、地方の行政区画の整備、税制の改革など、（⑥　　　　　）と呼ばれる一連の改革を行った。

選択肢

公地公民　冠位十二階　大宝律令　大化の改新　壬申の改革　中臣鎌足　憲法十七
蘇我蝦夷（えみし）　阿倍仲麻呂

問2

奈良時代の美術品、建造物の正しい名称を選択肢から選びなさい。

①（　　　　　）

②（　　　　　）

③（　　　　　）

④（　　　　　）

⑤（　　　　　）

選択肢

平等院鳳凰堂　東大寺盧舎那仏像
鑑真和上像　興福寺阿修羅像　薬師寺東塔
正倉院宝庫　唐招提寺金堂盧舎那仏座像

正解／解説・補足

問1　①冠位十二階　②憲法十七　③蘇我蝦夷（えみし）　④中臣鎌足
⑤公地公民　⑥大化の改新

問2　①東大寺盧舎那仏像　②薬師寺東塔　③正倉院宝庫　④鑑真和上像
⑤興福寺阿修羅像

中大兄皇子による大化の改新

乙巳の変のあと、**中大兄皇子**は孝徳天皇を立てると、自らは皇太子、**中臣鎌足**は内臣となって政権を掌握した。僧旻と高向玄理を国博士に任命して、大化という元号を定め、646年には改新の詔を発布して、様々な改革に着手。それまでの私地私民制をやめて**公地公民制**を敷いた。

中大兄皇子（天智天皇）

豪族には食封をあたえ、戸籍・計帳を作って人民を登録し、班田収受を行うなどした。**律令制**が本格的に整備されるのは中大兄皇子の弟、天武天皇の代からである。

国際色・仏教色の強かった奈良時代の天平文化

奈良時代に入って平城京に遷都が行われると、高度な貴族文化が興った。この文化を**天平文化**と呼ぶ。遣唐使たちが唐の都・長安に赴き、世界各地から集まる様々な文化、物品、芸術、知識を日本に持ち帰ってきていたため、非常に国際色豊かな文化となっていた。

また、信仰心の篤かった**聖武天皇**が国家仏教を推進していたため、仏教色の強い文化となった。

日本史④ 平安時代

実践日　　年　月　日

正答数　　／14点

問1

平安遷都と藤原氏による摂関政治について、空欄に入る語句を選択肢から選びなさい。

（①　　　）天皇は新たな政治基盤を確立するため、784年に長岡京へ遷都した。さらに（②　　　）年、平安京に遷都し、以後400年の長きにわたって平安京の地が政治と文化の中心地として栄えた。（①）天皇は平安京で形骸化した律令制度を立て直そうと、徴兵制度を廃止し、郡司の子弟を健児として国衙を守らせたり、（③　　　　　）を励行。さらに、農民への税負担を軽くしたりと、様々な改革を行った。

中臣鎌足の子孫である藤原氏は、朝廷で権力を拡大していった。平安時代に入ると、嵯峨天皇の崩御後、藤原北家が急速に勢力を拡大、藤原（④　　　）が太政大臣に任じられると、幼少の清和天皇の外祖父（母方の祖父）として、政治の実権を握った。承和の変（842年）、（⑤　　　）門の変（866年）などの政変によって伴氏、橘氏が政界から追放されると、藤原（④）は（⑥　　　）に任じられて、天皇に代わって政治を執り行うことになった。（④）の子・（⑦　　　）が宇多天皇の代に関白に任じられると、醍醐天皇の治世を除き、藤原北家が（⑥　　　）と関白を独占した。天皇の外祖父としての立場を利用して政権を独占したことから、これを（⑧　　　）政策と呼ぶ。

選択肢

桓武　天武　790　794　墾田永年　班田収受　良房　基経　応天　朱雀　外戚　摂政

問2

平安時代の作品と、関連する人物を選択肢から選んで一致させなさい。

『古今和歌集』（①　　　　　　　）『伴大納言絵詞』（②　　　　　　　）
『枕草子』（③　　　　　　　）『御堂関白記』（④　　　　　　　）
『鳥獣人物戯画』（⑤　　　　　　　）『平等院鳳凰堂』（⑥　　　　　　　）

選択肢

弘法大師　醍醐天皇　鳥羽僧正覚猷　藤原頼通　伴善男　伴家持　清少納言　紫式部　藤原道長

正解／解説・補足

問1　①桓武　②794　③班田収受　④良房　⑤応天　⑥摂政　⑦基経　⑧外戚

問2　①醍醐天皇　②伴善男　③清少納言　④藤原道長　⑤鳥羽僧正覚猷　⑥藤原頼通

藤原氏による摂関政治の変遷

藤原北家の良房(よしふさ)、基経(もとつね)の代のあと、醍醐(だいご)天皇が摂政(せっしょう)・関白を置かずに自ら政治を執った（**延喜(えんぎ)の治**）が、醍醐天皇のあとは藤原時平の弟・忠平が太政大臣として摂政・関白に任じられた。

しかし、村上天皇は忠平が死去すると醍醐天皇と同じように関白を置かずに政権を藤原氏から遠ざけようとした。その後、村上天皇が崩御すると忠平の子孫が再び関白に任じられ、969年の**安和(あんな)の変**のあとは、摂政と関白は常に置かれるようになった。

忠平の子孫の**藤原道長**は、摂関政治のなかで栄華を極めた人物として知られる。

日本の独自色が強かった「国風文化」

中国文化の影響を色濃く受けた奈良時代の文化と違い、遣唐使が廃止された平安時代中期以降は、日本独自の風土、生活に根ざした**「国風文化」**が栄えた。国風文化には、末法思想を唱えた**浄土教**の流行も影響を与えた。

それまで、日本語を表記するために漢字の音訓を借りていたが、**「かな文字」**が広く普及するようになった。

土佐光起筆『源氏物語画帖』より

日本史❺ 平氏と源氏

問1

保元の乱と平治の乱の関係図の空欄に入る語句を選択肢から選びなさい。

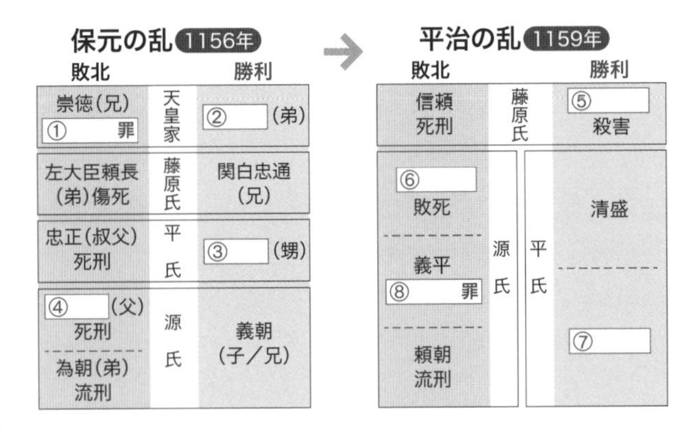

選択肢

流　死　白河　後白河　清盛　忠盛　重盛　義家　為義　信正　信西　義朝

問2

源平争乱について、空欄に入る語句を選択肢から選びなさい。

平治の乱に勝利した平清盛は、各地の（①　　　）や知行を手中に収め、（②　　　）貿易で富を蓄えた。清盛は太政大臣にまで上り詰め、「（③　　　）にあらざれば、人にあらず」とまで言われるほど栄華（えいが）を極めた。ところが、1180年、清盛が孫を（④　　　）天皇として即位させると、平氏に不満を抱いていた以仁王（もちひとおう）（後白河法皇の皇子）や、平治の乱で伊豆に流されていた源頼朝（義朝の子）、信濃の源（⑤　　　）らが兵を挙げ、日本各地の平氏に不満を持つ武士団も立ち上がった。争乱は全国に波及し、約5年にも及び「治承・寿永の乱」と呼ばれた。源頼朝の弟である（⑥　　　）の活躍などで都落ちした平氏は、摂津国（せっつのくに）の一ノ谷の戦い、讃岐国（さぬきのくに）の屋島の合戦に破れ、最終的に長門国（ながとのくに）の（⑦　　　）の戦いで滅亡した。

選択肢

平氏　武士　壇ノ浦　富士川　義経　荘園　領地　義仲　日明　日宋　安徳

正解／解説・補足

問1 ①流 ②後白河 ③清盛 ④為義 ⑤信西 ⑥義朝 ⑦重盛 ⑧死

問2 ①荘園 ②日宋 ③平氏 ④安徳 ⑤義仲 ⑥義経 ⑦壇ノ浦

政界における平氏の台頭

12世紀半ば、藤原氏から政治の実権を奪還した天皇家が院政を敷いてきたが、1156年に鳥羽法皇が崩御すると、皇室と摂関家の内部対立が顕在化して**保元の乱**が起こった。

平清盛

保元の乱では、兄である**崇徳上皇**（すとく）と、弟の**後白河天皇**が争い、後白河についた**平清盛**、**源義朝**らの武士が政界に台頭するきっかけとなった。

1159年、後白河上皇の近臣同士の対立から起こった**平治の乱**で、平清盛が源義朝を倒したことで、全国の武士団の棟梁（とうりょう）となり、平氏政権の礎（いしずえ）をつくった。

源頼朝による鎌倉幕府の成立

平氏が**壇ノ浦の戦い**（だんのうら）で滅亡した1185年、源頼朝は日本全国の軍事的支配権を掌握。同年、後白河法皇が源義経に頼朝追討を命じたことを受け、頼朝は軍事力をもって朝廷を威圧し、全国に守護・地頭（じとう）を置くことを認めさせ、実質的な日本の支配権を得た。

源頼朝

この時をもって、鎌倉幕府が成立したとする説が現在では主流であり、頼朝が征夷大将軍（せいいたいしょうぐん）に任ぜられた1192年とする説は少数派となっている。

頼朝は、逃亡した義経と、彼をかくまった**奥州藤原氏**（おうしゅう）を滅ぼし、約5年続いた争乱は幕を閉じた。

南北朝時代・室町時代

実践日　　年　月　日

正答数
／11点

問1

南北朝動乱について、空欄に入る語句を選択肢から選びなさい。

鎌倉幕府の執権、(①　　　) 氏の専制政治に不満を持っていた（②　　　　）天皇は、天皇親政を実現するため、二度にわたり倒幕計画を実行したが失敗し、(③　　　) へ流罪となった。しかし、河内国の悪党・(④　　　　　)、上野国の御家人・新田義貞、(⑤　　　　　)（のちの尊氏）らの協力を得て、幕府を滅亡させた。(②) 天皇は「(⑥　　　) の新政」と呼ばれる天皇親政を開始したが、その政治は天皇による専制であり、諸国の武士たちの不満は噴出した。とくに足利尊氏と（②）天皇の溝は深まり、1335年、尊氏は（②）天皇に反旗を翻して朝敵となった。20万の大軍を率いた尊氏は勝利をおさめ、(②) 天皇は吉野へと逃れた。尊氏は、光明天皇を擁立したため、朝廷は後醍醐帝の南朝と光明帝の北朝の2つに分かれることになった。南朝の皇統を「大覚寺統」、北朝の皇統を「(⑦　　　　) 統」という。

選択肢

北条　藤原　醍醐　後醍醐　伊豆大島　隠岐　楠木正成　佐々木道誉　足利高氏　建武　神武
持明院　高野山

問2

足利将軍家の系図の空欄に入る語句を選択肢から選びなさい。

- 初代 足利尊氏　(①　　　　) 天皇を京から追い出し北朝を擁立、征夷大将軍となる
- 3代 足利義満　南北朝合一を果たし、日明貿易によって財政を強化
- 8代 足利義政　(②　　　) 文化の中心人物。跡継ぎ問題をきっかけに (③　　　) の乱が勃発
- 15代 足利義昭　(④　　　　　) に擁立され将軍となるも、(④) と対立し京に戻れず室町幕府が滅亡する

選択肢

後醍醐　醍醐　義教　義朝　室町　東山　仁心　応仁　義視　義家　剣豪　婆娑羅　今川義元
織田信長

正解／解説・補足

問1　①北条　②後醍醐　③隠岐　④楠木正成　⑤足利高氏　⑥建武　⑦持明院

問2　①後醍醐　②東山　③応仁　④織田信長

室町幕府樹立後も続いた南北朝動乱

1336年、**足利尊氏**は、**室町幕府**を樹立し征夷大将軍に任じられたが、南北朝動乱は以後も長期にわたって続いた。

室町幕府の内部でも、畿内近隣の新興武士層と鎌倉幕府以来の古参武士層の対立が深刻化。それは、尊氏の側近の**高師直**、尊氏の実弟の足利直義の対立となって顕在化し、全国規模の争乱へと発展した。これを**「観応の擾乱」**という。南北朝動乱は泥沼化し、1392年、3代**将軍義満**の時代の南北朝合一まで続いた。

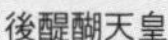
後醍醐天皇

足利尊氏

足利幕府の衰退と終焉

南北朝合一を果たした3代将軍**足利義満**が死去すると、各地の守護大名たちが台頭。くじ引きによって選ばれた6代将軍義教は、将軍権力の強化と守護大名の弱体化を目指す政策をとり、独裁者として君臨した。しかし、守護大名たちの反感を買い、赤松満祐によって毒殺された。

以後も、守護大名同士の勢力争いが続き、足利幕府の権力は衰退。安土桃山時代まで続いたが、1573年、15代将軍**義昭**を最後に滅亡した。

日本史⑦ 戦国時代

実践日　　年　　月　　日

正答数　　／15点

問1

1575年の戦国時代の地図上の空欄に、選択肢から適切な戦国大名を選びなさい。

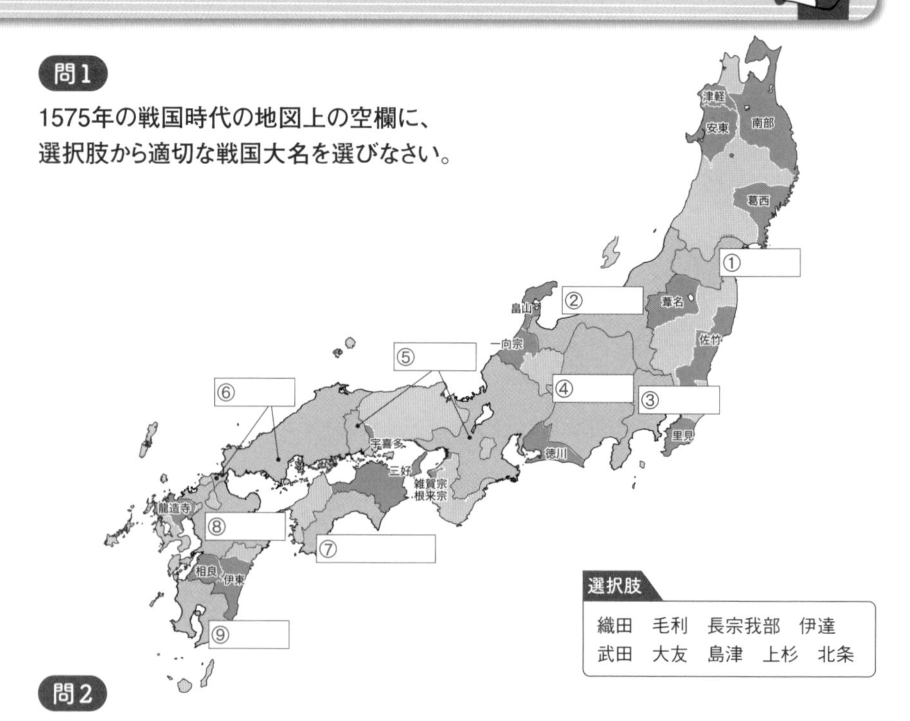

選択肢

織田　毛利　長宗我部　伊達
武田　大友　島津　上杉　北条

問2

戦国時代末期について、括弧内の言葉に誤りがあれば直しなさい。

1582年、織田信長が家臣の（①明智光秀）に謀反を起こされ、京都の（②本能）寺で宿泊中に急襲されて討ち死にすると、信長の家臣だった豊臣秀吉が山崎の戦いで（①明智光秀）を討ち、さらに（③丹羽長秀）を賤ヶ岳（しずがたけ）の戦いで破って、信長の後継者となった。その後、秀吉はついに天下統一を成し遂げた。天下人となった秀吉が死去すると、1600年には豊臣政権の五大老の一人であった（④徳川家康）と、豊臣家の重臣・（⑤福島正則）との間で関ヶ原の戦いが起こる。これに家康が勝利し、1603年、征夷大将軍に任ぜられ、江戸幕府を開いた。1614年と1615年に起きた大坂の陣では、江戸幕府軍が（⑥豊臣秀長）率いる豊臣軍を破り、豊臣家を滅亡させるに至った。

①	②	③	④
⑤	⑥		

正解／解説・補足

問1　①伊達　②上杉　③北条　④武田　⑤織田　⑥毛利　⑦長宗我部
⑧大友　⑨島津

問2　①○　②○　③丹羽長秀→柴田勝家　④○
⑤福島正則→石田三成　⑥豊臣秀長→豊臣秀頼

天下統一に前進した織田信長

1575年、織田信長と徳川家康の連合軍が、**長篠の戦い**で武田勝頼を打ち破った頃の戦国大名たちの勢力地図。信長は、1560年に**桶狭間の戦い**で今川義元を討ち取って以来、勢力を伸ばし、1573年には足利義昭を京都から追放して室町幕府を滅亡させた。1575年、戦国最強とされていた武田の騎馬軍団を家康とともに打ち破り、天下統一へ大きく前進した。

織田信長

江戸幕府誕生までの徳川家康の歩み

三河の小大名出身の**徳川家康**は、幼少の頃から今川義元、織田信長の人質として過ごすという不遇な青年期だったが、今川氏が滅亡すると次第に勢力を伸ばし、豊臣政権下では重職の五大老の一人に数えられるまでになった。

1590年には、秀吉の**小田原攻め**を助けて北条氏を滅亡させ、250万石という広大な関東の地を与えられ、江戸の地に移り住んだ。秀吉の死後は、**関ケ原の戦い**を制し、江戸幕府を開いた。

徳川家康

実践日　　年　月　日

正答数
／13点

問1

徳川幕府の将軍と、その事績、在任中の出来事を一致させなさい。

家康（初代）　家光（3代）　綱吉（5代）　吉宗（8代）　慶喜（15代）

■幕府財政を立て直すために享保の改革を行い、質素倹約を励行。(①　　　)
■儒学に傾倒し、生類憐みの令を発布。在任中に赤穂浪士討ち入り事件が起きる。(②　　　)
■老中、若年寄などの幕府機構を確立し、参勤交代を制度化するなど、幕藩体制を完成させる。(③　　　)
■1603年に征夷大将軍に就任するも在位期間は2年2カ月。退位後も大御所として君臨。(④　　　)
■大政奉還を行ったが鳥羽・伏見の戦いに敗れ、江戸幕府約300年の歴史に終止符が打たれる。(⑤　　　)

問2

幕末期の情勢について、空欄に入る語句を選択肢から選びなさい。

1853年、アメリカの（①　　　）提督が浦賀に来航して開国を迫ると、幕府は翌1854年に日米和親条約を結んで（②　　　）と函館を開港。さらに日米修好通商条約を結んで横浜、長崎、新潟、神戸を開港した。幕府が朝廷の許可を得ずに条約を結んだことで、（③　　　）運動が盛んとなり、大老の井伊直弼が反体制的な武士らを処罰したため（安政の大獄）、1860年、（③）派の怒りを買って直弼は暗殺された。これを（④　　　）の変という。（③）運動を進める長州藩士は（⑤　　　）の仲介によって薩摩藩と薩長同盟を結び、討幕運動を推し進めた。1867年には、15代将軍徳川慶喜が（⑥　　　）を行うも、薩長側は（⑦　　　）の大号令を発し、鳥羽・伏見の戦いが勃発。新政府軍がこの（⑧　　　）戦争に勝利、江戸幕府の歴史に終止符が打たれた。

選択肢

ペリー　ハリー　下田　横浜　公武合体　尊王攘夷　禁門　桜田門外　西郷隆盛　坂本龍馬
王政復古　大政奉還　田原坂　五稜郭　維新　戊辰

正解／解説・補足

問1　①吉宗　②綱吉　③家光　④家康　⑤慶喜

問2　①ペリー　②下田　③尊王攘夷　④桜田門外　⑤坂本龍馬　⑥大政奉還　⑦王政復古　⑧戊辰

早逝した歴代将軍たちも多い

4代家綱は11歳で将軍になったが体が弱く**松平信綱**らの補佐が必要だった。7代家継は3歳4カ月で将軍となるが、8歳で死去。その間は**新井白石**らが政治を行った。

9代家重は幼少より病弱で政治にあまり興味がなかったとされる。13代家定も病弱で、奇行が目立ち、35歳で夭折。14代家茂は、幕末の倒幕運動の最中に就任し、自ら将軍職を退こうとしたが、21歳の若さで死去した。

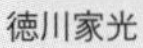

徳川家光

徳川吉宗

戊辰戦争と江戸城の無血開城

戊辰戦争は、1868年1月、薩摩・長州の両藩を中心とする新政府軍と、旧幕臣および会津藩・桑名藩を中心とする旧幕府軍で勃発した。初戦は京都の鳥羽・伏見で行われ、新政府軍が勝利をおさめ、**徳川慶喜**を朝敵として追討することになった。新政府軍の**西郷隆盛**と幕臣の**勝海舟**が交渉を行い、江戸城の無血開城が行われた。江戸では**彰義隊戦争**のような局地戦はあったが、基本的に平和裏に新政府軍による占領がなされた。

徳川慶喜

日本史⑨ 明治時代・大正時代

実践日　　年　月　日

正答数　　／12点

問1

明治初期の改革について、空欄に入る語句を選択肢から選びなさい。

戊辰（ぼしん）戦争で新政府軍が勝利すると、明治政府は、「五か条の（①　　　　）」を発布（はっぷ）。五か条の（①）の第一条には、「広く会議を興し、万機公論に決すべし（政府は人々の意見を聞いて会議で物事を決めよう）」とあり、封建制度から西洋的な民主主義への移行が示唆された。明治政府は欧米列強に追いつくために「(②　　　　)」をスローガンとし、群馬県の（③　　　）製紙工場など、殖産興業に努めた。また、各地の藩を廃止して県を設置する「(④　　　　)」を行い、米による税収入を現金による納税に変更するための「(⑤　　　　)」など、改革を進めた。

選択肢

御誓文　建文　富国強兵　和魂洋才　足尾　富岡　徳政令　地租改正　廃藩置県

問2

日清・日露戦争について、空欄に入る語句を選択肢から選びなさい。

	日清戦争	日露戦争
交戦勢力	日本と清（中国）	日本とロシア
原因	日清両国が朝鮮半島への影響力をめぐって争った	(④　　　)と韓国（1897年、朝鮮が大韓帝国と改称）をめぐって争った
戦勝国	日本	講和
講和条約及びその内容	(①　　　)条約 ・清は朝鮮の独立を認める ・清は日本に台湾、(②　　　)半島、澎湖諸島を割譲する ・清は日本に賠償金2億両（テール）を支払う ※(②)半島はロシアなどの(③　　　)干渉を受けて返還させられた	(⑤　　　　　)条約 ・日露両国は、鉄道守備隊を除いて満州から撤退する ・ロシアは北緯50度以南の(⑥　　　)を日本に割譲する ・ロシアは長春以南の南満州鉄道とその付属地の炭鉱、(⑦　　　)州の租借権を譲る ・ロシアは沿海州の漁業権を日本に与える

選択肢

朝鮮　下関　遼東　列強　三国　満州　青島　ミンスク　ポーツマス　樺太　関東　黒竜江

正解／解説・補足

問1　①御誓文　②富国強兵　③富岡　④廃藩置県　⑤地租改正

問2　①下関　②遼東　③三国　④満州　⑤ポーツマス　⑥樺太　⑦関東

明治の近代化と文明開花

明治政府は、政治のみならず、人々の生活環境そのものの近代化も進めていったため、町並みは煉瓦（レンガ）造りの西洋風の建物が増え、ガスを用いた街灯が夜道を照らすようになり、衣服もそれまでの和服から洋服を着る人々が増え、江戸時代までは髷（まげ）を結っていた人々も断髪するようになった。また、それまで日本人は口にしてこなかった牛肉を鍋にして食べる「牛鍋」という食習慣も生まれるようになった。こうした変化を**「文明開化」**と称する。

日露戦争の講和に介入したアメリカ

日露戦争当時、中国大陸への進出を企図していたアメリカは、日本とロシアのどちらかが決定的な勝利を挙げて、中国大陸における支配力を強めることを恐れた。そういった理由で、アメリカは積極的に日露両国の講和にかかわり、アメリカ東北部の軍港**ポーツマス**で日露の講和会議を開いた。

結果として、日本は賠償金を得ることができず、国民の反発を招き、激しい条約反対運動が起きた。

歌川広重「東京名所之内 銀座通煉瓦造 鉄道馬車往復図」

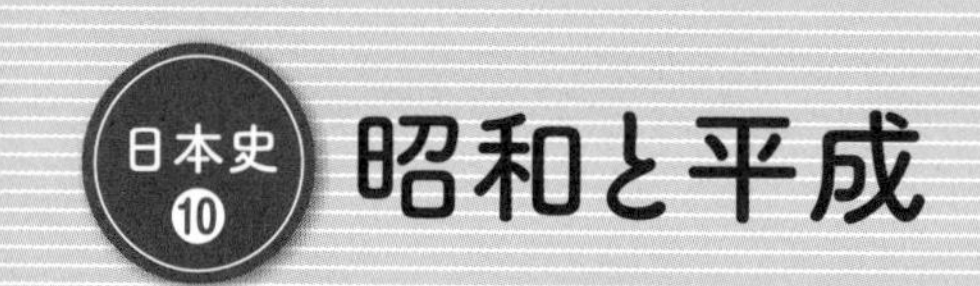

日本史⑩ 昭和と平成

実践日　　年　月　日

正答数　　／6点

問1

太平洋戦争の経緯について、空欄に入る語句を選択肢から選びなさい。

1941年12月8日、日本軍はハワイにある（①　　　　）へと奇襲攻撃を敢行。太平洋戦争が開戦した。日本軍は、東南アジア、太平洋の島々を攻め、1942年2月にはアジアにおけるイギリスの一大拠点（②　　　　　）を陥落させるなど、各地で快進撃を続けた。

しかし、1942年6月、ハワイ西方に浮かぶ（③　　　　　）島を攻略しようとした空母部隊が、アメリカの空母部隊の待ち伏せ攻撃を受けて大敗北を喫する。

その後、日本軍は徐々に追い詰められ、1944年からは日本本土に対しアメリカの爆撃機（④　　　　）による空襲が行われるようになり、1945年8月には広島と長崎に原子爆弾が投下された。同年8月15日、（⑤　　　　）により、国民に敗戦が伝えられた。

選択肢

ミッドウェー　硫黄島　ガダルカナル　フィリピン　B-29　メッサーシュミット　玉音放送　ポツダム宣言
真珠湾　シンガポール

問2

平成に起きた出来事を正しい時系列で並べたものを、A ～ Dから選びなさい。

① 東日本大震災が発生
② 地下鉄サリン事件
③ 自民党・小泉内閣が成立
④ 皇太子徳仁（なるひと）親王、小和田雅子さま、結婚の儀
⑤ 消費税が3%の税率でスタートする
⑥ オバマ大統領が広島を訪問
⑦ 社会党・村山富市（とみいち）内閣が成立

選択肢

A　5→4→7→2→3→1→6
B　5→2→7→4→3→6→1
C　4→5→2→7→1→6→3
D　4→7→5→2→1→4→6

正解／解説・補足

問1 ①真珠湾 ②シンガポール ③ミッドウェー ④B-29 ⑤玉音放送

問2 A

太平洋戦争の呼称

太平洋戦争は、戦時中の日本では**「大東亜戦争」**と呼ばれた。戦後になって**連合国軍最高司令官総司令部（GHQ）**が日本を占領統治した際に、「太平洋戦争」と呼ぶことを強制されて定着した。また、一連の戦争は1931年の**満州事変**に端を発するため、**「15年戦争」**という呼び名も存在する。

高度経済成長期による日本の復興

1950年代に入ると、日本経済は**朝鮮戦争特需**、**オリンピック景気**、**いざなぎ景気**といった追い風を受けて急激に成長。輸出が急増し、鉱工業生産は過去最高の水準に達して、1956年には経済白書が「もはや戦後ではない」という宣言をするに至った。

この好景気は1970年代まで続き、一連の経済成長期を**「高度経済成長期」**と呼ぶ。また、戦後の荒廃した状態から、わずか数十年で復興し、経済成長を遂げたことから「東洋の奇跡」とも呼ばれた。

平成日本を振り返る

平成元（1989）年4月1日に**消費税**が初めて導入。消費税率は3％だった。皇太子徳仁親王と小和田雅子さまの結婚の儀は、平成5（1993）年6月9日に行われた。社会党・**村山富市内閣**の発足は、平成6（1994）年6月30日。平成7（1995）年1月17日に**阪神淡路大震災**が発生し、同年3月20日には地下鉄サリン事件が起きた。

自民党・小泉内閣の成立は平成13（2001）年4月26日。**東日本大震災発生**は平成23（2011）年3月11日。オバマ大統領の広島訪問は平成28（2016）年5月27日だった。

鉄砲とキリスト教の伝来

16世紀半ば、日本各地で戦国大名たちが争っていた頃、ヨーロッパ人たちは海路でアジアへ進出する道を開いた。とくに新興国スペインは大西洋を横断してアメリカ大陸に到達。さらに太平洋に出てフィリピン諸島マニラを拠点にアジア貿易を行った。ポルトガルはアフリカ大陸最南端の喜望峰をまわってインドに至る航路を開拓。中国のマカオを拠点に明との貿易を行うようになった。

1543年、九州の種子島(たねがしま)にポルトガル人を乗せた中国船が来航。この時、ポルトガル人が持っていた鉄砲を島主の種子島時尭(ときたか)が買い求め、製法を家臣に学ばせたことで、日本で初めての鉄砲（火縄銃）が製造されることとなった。以後もヨーロッパ人は日本との貿易に利点を感じ、頻繁に来日するようになり、イエズス会創立者の一人である宣教師フランシスコ・ザビエルらによってキリスト教がもたらされることとなった。

ザビエルの来日以降、キリスト教の宣教師は数多く来日して熱心に布教を行った。当初、キリスト教は日本の思想と相容れないと思われていたが、宣教師たちが社会事業や医療活動に従事したこともあり、幅広い階層に受け入れられるようになった。主に西日本で広まり、各地に南蛮寺（教会堂）、セミナリオ（神学校）、コレジオ（宣教師養成学校）がつくられ、大友宗麟(そうりん)、有馬晴信ら戦国大名もキリスト教の洗礼を受けるほどであった。

宗 教

ギリシャ神話・エジプト神話

実践日　　年　月　日

正答数　　／18点

問1

表の空欄を選択肢から選びなさい。

日本語名	ギリシャ語名
水星	(①　　　　)
金星	(②　　　　)
火星	(③　　　　)
木星	(④　　　　)

選択肢

ポセイドン　ヘルメス
クロノス　ウラノス
アレス　ゼウス
アフロディテ　ハデス

問2

ギリシャ神話について、空欄に入る語句を選択肢から選びなさい。

古代ギリシャ文学を代表するものとして、(①　　　　) が書いた長編叙事詩『イリアス』や『(②　　　　)』、(③　　　　) による叙事詩『神統記』や『(④　　　　)』などがある。ギリシャ神話を語るうえで最も重要なものが「オリンポスの十二神」であり、最高神の (⑤　　　　)、美の女神 (⑥　　　　)、芸術の神 (⑦　　　　) などがよく知られている。

選択肢

ゼウス　アフロディテ　オデュッセイア　ヘシオドス　アポロン　ホメロス　仕事と日々

問3

エジプト神話について、空欄に入る語句を選択肢から選びなさい。

古代四大文明の一つであるエジプト文明は、(①　　　　) 川沿岸の肥沃な土地で栄えた。この文明には様々な神話があり、数多くの神が登場する。そのなかで重要とされる神は、最高神であり太陽神でもある (②　　　　)、冥界と再生の神 (③　　　　)、豊饒の女神 (④　　　　) の三神である。古代エジプトでは霊魂は不滅であると考えられ、王である (⑤　　　　) のミイラがつくられた。ミイラは巨大な (⑥　　　　) の中に安置され、ギザにあるエジプト第4王朝の (⑦　　　　) 王の (⑥) は世界最大である。

選択肢

ピラミッド　クフ　ナイル　イシス　ファラオ　ラー　オシリス

正解／解説・補足

問1　①ヘルメス　②アフロディテ　③アレス　④ゼウス

問2　①ホメロス　②オデュッセイア　③ヘシオドス　④仕事と日々　⑤ゼウス　⑥ アフロディテ　⑦アポロン

問3　①ナイル　②ラー　③オシリス　④イシス　⑤ファラオ　⑥ピラミッド　⑦クフ

ギリシャ神話と太陽系惑星

太陽系の惑星の名前にはギリシャ神話の最高神である**ゼウス**を中心とした一族の名前がつけられている。水星は伝令の神・**ヘルメス**、金星は美の女神・**アフロディテ**、火星は戦いの神・**アレス**、木星は主神・**ゼウス**、土星は農耕の神・**クロノス**。天王星は天空の神・**ウラノス**、海王星は海の神・**ポセイドン**、冥王星は冥府の神・**ハデス**。

太陽系の惑星のなかで地球だけがローマ神話やギリシャ神話をもとに名づけられていない。

ギリシャ神話のオリンポスの十二神

オリンポスの十二神は最高神のゼウス、その妻で最高女神の**ヘラ**、知恵の女神・**アテナ**、芸術の神・**アポロン**、美の女神・アフロディテ、戦いの神・アレス、狩猟の女神、月の女神・**アルテミス**、豊饒の女神・**デメテル**、鍛冶の神・**ヘファイストス**、伝令の神・ヘルメス、海の神・ポセイドン、かまどの女神・**ヘスティア**とされるのが一般的。

文献によって十二神の定義が異なり、ヘスティアの代わりに酒の神・**ディオニソス**を入れる場合もある。

エジプト神話とファラオ

世界四大文明の一つであるエジプト文明はナイル川の沿岸で栄えた。王は**ファラオ**と呼ばれ、絶対的な権力者として君臨した。エジプト文明では死後の世界の存在が信じられており、ファラオなどが死ぬと、死者をその世界で蘇生・永生させるためにミイラが作られた。ミイラは豪華な棺に入れられ、ピラミッドの中に安置された。

世界の宗教
（キリスト教、イスラム教、ユダヤ教）

実践日	年	月	日

正答数
／12点

問1

空欄に入る語句を選択肢から選びなさい。

ユダヤ教、キリスト教、イスラム教はいずれも『旧約聖書』を教典とした宗教である。この教典には古代ユダヤ民族の歴史と神との様々な関係が書かれている。例えば、人類の祖先である（①　　　　）と（②　　　　）がエデンの園に住んでいたというエピソードや、大洪水を逃れるための（③　　　　）の箱舟のエピソードは有名である。

また、預言者（④　　　　）に率いられ、捕らわれの身となっていたユダヤ民族がエジプトの地を後にし、最終的に（⑤　　　　）の地に安住したエピソードもある。

選択肢

カナン　イスラエル　ヘブライ　エバ　ノア　モーセ　アダム

問2

ユダヤ教、キリスト教、イスラム教について、表の空欄に入る語句を選択肢から選びなさい。

	ユダヤ教	キリスト教	イスラム教
聖典	（①　　　　）	（①）、（②　　　　）	（①）、（②）、コーラン
聖都	（③　　　　）	（③）	（③）、メッカ、メディナ
礼拝所	（④　　　　）	教会	（⑤　　　　）
安息日	（⑥　　　　）	日曜日	（⑦　　　　）
豚肉	食べない	食べる	食べない

選択肢

モスク　土曜日　金曜日　旧約聖書　シナゴーグ　新約聖書　エルサレム

正解／解説・補足

問1　①アダム　②エバ　③ノア　④モーセ　⑤カナン
※①と②の順番はどちらでもよい

問2　①旧約聖書　②新約聖書　③エルサレム　④シナゴーグ　⑤モスク
⑥土曜日　⑦金曜日

ユダヤ教、キリスト教、イスラム教の教典『旧約聖書』

ヘブライ語で書かれた**『旧約聖書』**はキリスト教だけでなく、ユダヤ教、イスラム教の教典でもある。それゆえ、この３つの宗教は兄弟的な関係にある。この３つの中で最も古くに成立したのはユダヤ教である。**ヤハウェの神**を信仰する一神教でユダヤ民族の宗教である。

キリスト教の宗派と現状

カトリック、ギリシャ正教以外の宗派では、キリスト教プロテスタントのルター派を国教とする国はアイルランド、デンマークなどがある。「カトリック教会の長女」と形容されたフランスでは現在、**無宗教＝ライシテ**を国是としている。

ユダヤ教、キリスト教、イスラム教の共通点と差異

ユダヤ教、キリスト教、イスラム教には多くの共通点があるが、礼拝所はそれぞれで異なり、ユダヤ教はシナゴーグ、キリスト教は教会、イスラム教はモスクで礼拝する。安息日も異なり、ユダヤ教は土曜日、キリスト教は日曜日、イスラム教は金曜日である。豚肉食に関してはユダヤ教とイスラム教では禁忌(きんき)であるが、キリスト教では禁止されていない。

12世紀のギリシア語聖書写本

宗教

キリスト教の宗派

実践日　　年　月　日

正答数
／15点

問1

カトリックにおける教皇について、空欄に入る語句を選択肢から選びなさい。

カトリックの総本山は（①　　　　）市国である。この国の公用語は（②　　　　）語で、カトリックのトップであるローマ教皇がいる。現在の第266代教皇（③　　　　　　）は（④　　　　　　）生まれ。史上初のアメリカ大陸出身で、史上初のイエズス会出身のローマ教皇である。初代教皇は十二使徒の一人である（⑤　　　　）とされている。初期の教皇を除くほとんどすべての教皇はイタリアに住んでいたが、1309年に（⑥　　　　　　）が、フランス国王（⑦　　　　　　　）によって南フランスの（⑧　　　　　　）に連れて来られ、幽閉された。その状態は1377年まで続いた。これを教皇のバビロン捕囚（はしゅう）と言う。

選択肢

クレメンス5世　フィリップ4世　フランシスコ　アルゼンチン　ペテロ　アヴィニョン　バチカン　ラテン

問2

プロテスタントについて、空欄に入る語句を選択肢から選びなさい。

ヨーロッパで長く宗教の中心的役割を担っていたカトリック教会だが、16世紀初めになると聖書の教えに反し、世俗的な堕落の兆候を見せるようになる。特に1515年のローマ教皇（①　　　　　）による（②　　　　）の発売は、聖書の精神に大きく反するものとされた。

これに対して1517年、（③　　　　）は『95か条の論題』を発表し、激しく抗議。神聖ローマ帝国皇帝（④　　　　　）は自説を曲げない（③）を追放処分にする。プロテスタントは彼の抵抗運動をもとに確立されていく。その後、神聖ローマ帝国では1524年に神学者（⑤　　　　　）を指導者として、（⑥　　　　）農民戦争が起こる。また、スイスのジュネーヴでも（⑦　　　　　　）による宗教改革が行われた。

選択肢

ミュンツァー　ドイツ　免罪符　ルター　カール5世　カルヴァン　レオ10世

正解／解説・補足

問1　①バチカン　②ラテン　③フランシスコ　④アルゼンチン　⑤ペテロ　⑥クレメンス5世　⑦フィリップ4世　⑧アヴィニョン

問2　①レオ10世　②免罪符　③ルター　④カール5世　⑤ミュンツァー　⑥ドイツ　⑦カルヴァン

カトリック信者とプロテスタント信者の割合

マルティン・ルター

ジャン・カルヴァン

フランスのカトリック信者の割合は47.4％と高いが、その数は減ってきているとされる。ドイツのカトリック信者とプロテスタント信者の割合はほぼ拮抗し、スイスの割合も比較的離れていない。ドイツは**ルター**が宗教改革を行った国であり、スイスは**カルヴァン**が宗教改革を行った国であるという点も、この比率に大きな影響を与えていると考えられる。

ローマ教皇の現在とバチカン市国

教皇は現在、ローマ市内の**バチカン市国**にある教皇庁で宗教的責務を担っている。バチカン市国の公用語はラテン語であるが、日常生活語ではイタリア語が、外交語としてはフランス語が使用される。

プロテスタントの誕生と広がり

ローマ教皇レオ10世が財源確保のために行った**免罪符**（信徒が購入することで犯した罪の償いを免除されるとされた証書）の販売に対し、ルターは激しく抗議。これがプロテスタント・ルター派の始まりとなる。

トマス・ミンツァー指導によるドイツ農民戦争や、スイスでのカルヴァンの宗教改革によって、その後、プロテスタントの宗教精神はヨーロッパ中に広がっていく。

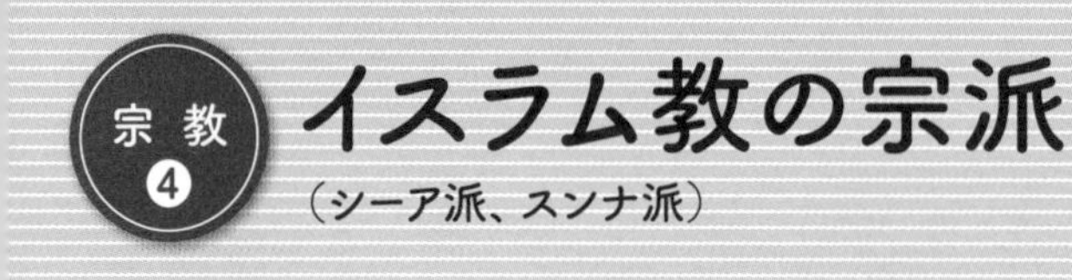

宗教4

イスラム教の宗派

（シーア派、スンナ派）

実践日　　年　月　日

正答数　　／15点

問1

イスラム教について、空欄に入る語句を選択肢から選びなさい。

世界三大宗教の一つであるイスラム教は、預言者（①　　　　　）によって7世紀にアラビア半島で始められた宗教であり、現在世界で約（②　　　）人の信者がいる。漢字圏では（③　　　）と呼ばれ、（④　　　　）やキリスト教の影響を受けた一神教であり、唯一の神は（⑤　　　　）である。中心的経典は（⑥　　　　）だが、『旧約聖書』も経典の一つとなっている。イスラム教ではモーセやイエスなども聖人に数えられるが、最後の預言者（①）の教えが最も重要なものとみなされている。2001年に起きたアメリカの同時多発テロ以降、イスラム原理主義者による聖戦＝（⑦　　　　）が大きな問題となっているが、元来この宗教は平和的な宗教である。なお、イスラム教最大の聖地は（⑧　　　　）である。

選択肢

アッラー　コーラン　ジハード　16億　20億人　回教　ユダヤ教　メッカ　ムハンマド

問2

イスラム教の宗派について、空欄に入る語句を選択肢から選びなさい。

イスラム教の二大宗派が（①　　　　）と（②　　　　）である。（①）はイスラム教人口の約90%を占め、コーランや規律を重んじ、偶像崇拝を禁止している。（②）は預言者（③　　　　）の血族を重視し、偶像崇拝も認めている。（①）の代表的な国は（④　　　　　）で、（②）の代表的な国は（⑤　　　）であるが、両国は同じイスラム教国でありながらも非常に仲が悪く、政治・経済・外交問題でしばしば対立している。近年では（②）の勢力が強まっている（⑥　　　　）問題での対立が深まっている。アメリカ同時多発テロを起こしたイスラム原理主義国際テロ組織として知られる（⑦　　　　）は（①）である。

選択肢

イラン　バーレーン　シーア派　ムハンマド　アルカイーダ　スンナ派　サウジアラビア

正解／解説・補足

問1　①ムハンマド　②16億　③回教　④ユダヤ教　⑤アッラー　⑥コーラン　⑦ジハード　⑧メッカ

問2　①スンナ派　②シーア派　③ムハンマド　④サウジアラビア　⑤イラン　⑥バーレーン　⑦アルカイーダ

イスラム原理主義者のテロ行為

イスラム教は、最後の**預言者ムハンマド**によって610年に成立した。イスラム教は元来、平和主義的で、福祉的な要素が強い宗教であるが、イスラム原理主義者のテロ行為が世界中で大きな問題となっている。

彼らは**聖戦＝ジハード**を叫び、自爆テロを厭わない。こうした行為がイスラム教徒排斥(はいせき)の趨勢(すうせい)をつくり上げている側面がある。

規律重視のスンナ派と血族重視のシーア派

スンナ派と**シーア派**は預言者ムハンマドの死後に分かれた。どちらの宗派も、聖地はエルサレム、メッカ、メディナという共通点はある。だが、スンナ派が偶像崇拝を絶対禁止するのに対し、シーア派ではムハンマドの姿が描かれた絵画などを崇拝する。

また、スンナ派が規律を重んじるのに対して、シーア派はムハンマドの血族を重視する。

コーラン

原始仏教

実践日　　年　月　日

正答数　／15点

問1

仏教の成り立ちについて、空欄に入る語句を選択肢から選びなさい。

サンスクリット語で「悟(さと)りを開いた人」を意味する（①　　　　）は、世界三大宗教の一つである（②　　　）の創始者である釈迦のことを指す。釈迦は王家の家に生まれるが29歳で出家した。この時代、（③　　　　　）が隆盛を誇っており、いたずらに苦行を行うことが重視されていた。彼は35歳まで苦行による修行を続けブッダガヤの菩提樹の下で瞑想し、悟りを開くことになる。彼の教えは命あるものが何度も転生する（④　　　　　）から解放するための教えであった。そして、この世はすべて同じ状態に止まることがない（⑤　　　　）の理を表しており、すべてのものには実体がない（⑥　　　　）を表し、すべてのものは苦しみを持つ（⑦　　　　　）がこの世界の根本原理であると説いた。そして、こうした状態が解放された（⑧　　　　）を目指すことが最も重要であると語った。

選択肢

諸法無我　一切皆苦　涅槃静寂　ブッダ　輪廻転生　諸行無常　仏教　バラモン教

問2

インドの古代宗教について、空欄に入る語句を選択肢から選びなさい。

仏教成立以前から存在していた（①　　　　　　）においても、生まれ変わりの思想である（②　　　）が説かれていたが、この宗教においては繰り返される再生の鎖から解き放たれるためには（③　　　　）が必要であると考えられた。これに対して仏教では、（③）は絶対的に必要であるものとはみなされず、瞑想などの（④　　　）によって悟りが開かれると主張されている。仏教成立とほぼ同時期にインドで起きたジャイナ教は（⑤　　　　　　　）によって創始され、徹底的な（⑥　　　　）が説かれた。現在のインドで最大勢力を誇る（⑦　　　　　）は（①）を基盤として、仏教成立のすぐ後に創始されたが、この宗教は厳格なカースト制度を重視している。

選択肢

ヒンドゥー教　修行　マハーヴィーラ　不殺生　バラモン教　輪廻　苦行

正解／解説・補足

問1　①ブッダ　②仏教　③バラモン教　④輪廻転生　⑤諸行無常
⑥諸法無我　⑦一切行苦　⑧涅槃静寂

問2　①バラモン教　②輪廻　③苦行　④修行　⑤マハーヴィーラ　⑥不殺生
⑦ヒンドゥー教

仏教の誕生と世界の根本原理

紀元前565年頃に現在のネパール南部にあったカピラ国で生まれた**釈迦**（しゃか）**（ゴータマ・シッダールタ）**は王の子どもであった。王子として過ごし、結婚もしていたが29歳の時に出家し、修行を行うようになる。当時のインドで最も栄えていた宗教は**バラモン教**であり、釈迦はその教えに従い、苦行を伴う修行を続けた。だが、悟りは開かれなかった。

35歳になった釈迦はブッダガヤの**菩提樹**（ぼだいじゅ）の下で悟りを開き、仏教の開祖となる。世界は絶えず繰り返される**輪廻転生**（りんねてんしょう）のサイクルによって成り立ち、このサイクルから解放されることによって悟りと幸福が得られるとするものであった。

彼はこの世界の根本原理を以下のように考えた。**諸皆無常**＝この世界のすべてのものは同じ状態に止まらない。**諸法無我**＝この世界のすべてのものには実体がない。**一切皆苦**＝この世界のすべては苦しみに満ちている。こうした世界からの解脱を目指し、仏教思想が説かれていったのである。

バラモン教・ジャイナ教・ヒンドゥー教

インドの古代宗教で最も古くから存在していたものはバラモン教である。この宗教では、生まれ変わりの考えである輪廻が説かれていたが、輪廻は苦しみであり、その永劫（えいごう）の輪から逃れるためには苦行が必要であると考えられた。釈迦によって成立した仏教においても、輪廻の思想は存在するが、その定めを乗り越えるためには苦行は必要とせず、瞑想などによって悟ることが重要であると考えられた。

仏教とほぼ同時期にマハーヴィーラによって成立した**ジャイナ教**は徹底的な不殺生（ふせっしょう）を重視する宗教。この2つの宗教の少し後、バラモン教をベースとして成立した宗教が**ヒンドゥー教**である。この宗教は現在のインドの中心的宗教であるが、厳格な身分制度である**カースト制**を重視している。

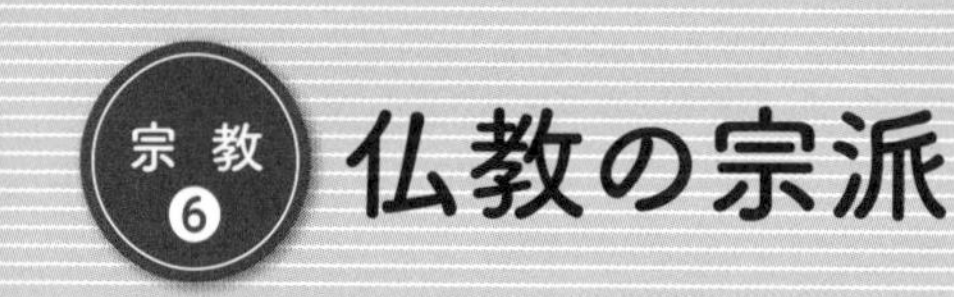

宗教 6 仏教の宗派

実践日　　年　月　日

正答数　　／15点

問1

大乗仏教と上座部（小乗）仏教について、空欄に入る語句を選択肢から選びなさい。

仏教思想は大きく分けて、大乗仏教と上座部（小乗）仏教がある。どちらの考えも、開祖である釈迦の教えにもとづいたものですが、大乗仏教は「大きな乗り物」を意味し、（①　　　　）を理想とするもので、上座部仏教にはない（②　　　）も重視する。日本の仏教宗派としては、（③　　　　）や（④　　　）が典型的な大乗仏教の宗派である。大乗仏教の代表的な経典には（⑤　　　　）が挙げられる。上座部（小乗）仏教は「小さな乗り物」を意味し、（⑥　　　）を開くまで他人を救おうとしないという特徴がある。上座部仏教の経典としては（⑦　　　　）が存在している。現在、ミャンマーや（⑧　　　）といった国々には上座部仏教の信者が多いと言われている。

選択肢

禅宗　法華経　天台宗　悟り　阿含経　タイ　自利利他　布施

問2

大乗仏教について、空欄に入る語句を選択肢から選びなさい。

サンスクリット語で（①　　　　　　）という言葉にもとづく大乗仏教は（②　　）世紀頃に起きた仏教の一派であるが、この宗派はそれまでの上座部系の仏教思想が自らの悟りを中心としたのに対して、他者の救済も重視した。大乗仏教を理論体系化したのは仏教思想家（③　　　）であり、この宗派は（④　　　　　）朝において非常に尊(たっと)ばれ、発展した。上座部仏教が（⑤　　　　　）、タイ、ミャンマーで発展していったのに対して、大乗仏教は中国、（⑥　　　）、（⑦　　　　）、モンゴルなどで広く普及した。代表的な経典としては『法華経』や『般若教』『維摩経(ゆいまぎょう)』がある。

選択肢

チベット　マハーヤーナ　竜樹　クシャナ　3　1　スリランカ　日本

正解／解説・補足

問1　①自利他利　②布施　③天台宗　④禅宗　⑤法華経　⑥悟り　⑦阿含経　⑧タイ　※③と④は逆でもよい

問2　①マハーヤーナ　②1　③竜樹　④クシャナ　⑤スリランカ　⑥日本　⑦チベット

大乗仏教と上座部仏教の違い

仏教の教えは大きく2つに分けることができる。**大乗仏教**(だいじょう)と**上座部**(じょうざぶ)**（小乗**(しょうじょう)**）仏教**である。どちらも釈迦の教えにもとづいたものであるが、大乗仏教が「大きな乗り物」の意味であり、**『法華経**(ほけきょう)**』**や**『般若教**(はんにゃきょう)**』**などを経典とし、自分の救済だけでなく他者の救済も同時に目指す自利他利を中心思想とする。また、上座部仏教にはない布施(ふせ)を重視する考えを示している。

それに対して、上座部（小乗）仏教は「小さな乗り物」の意味であり、**『阿含経**(あごんきょう)**』**を中核経典とし、自己の悟りを第一とし他者への救済は自らの悟りが開いた後と考える。

なお、上座部仏教徒が多い代表的な国はタイとミャンマーである。また、日本の仏教宗派では大乗仏教系のものが多く、天台宗、真言宗、浄土宗、浄土真宗、禅宗といった宗派はすべて大乗仏教系の宗派である。

大乗仏教の特徴とナーガールジュナ

大乗仏教は、上座部仏教の教えが他者の救済よりも自己の救済を第一に考える点への批判から1世紀の後半に構築された仏教の一派である。古代インドのクシャナ朝の庇護(ひご)のもとで発展していった。

大乗仏教の特徴は自利利他の言葉に端的に表されており、自己のみでなく他者も同時に救済することを中心思想とする。こうした考えを体系化したのは2世紀の仏教思想家である**ナーガールジュナ（竜樹）**である。

なお、上座部仏教はスリランカ、タイ、ミャンマーに伝導され発展していったのに対し、大乗仏教は中国、日本、チベット、モンゴルといった国々に伝来し、発展していった。

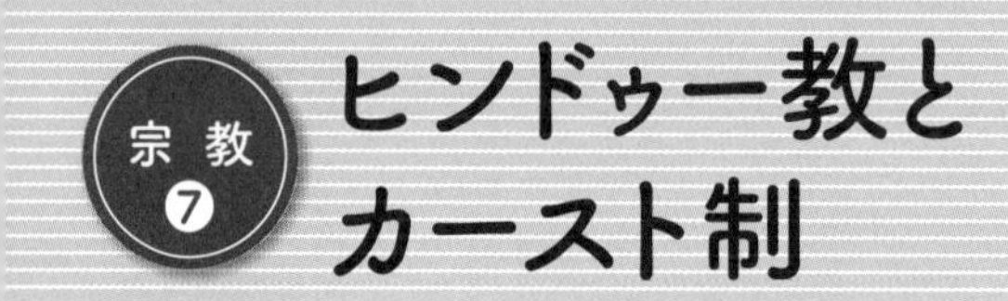

宗教7 ヒンドゥー教とカースト制

実践日　　年　月　日

正答数　　／13点

問1

カースト制度について、空欄に入る語句を選択肢から選びなさい。

もともとは（①　　　　　　）の宗教制度であり、ヒンドゥー教が受け継いだ身分制度であるカースト制度は、かなり厳格な身分制度であり、異なる階級間の交流が厳しく制限されている（例えば、異なる階級間の結婚の禁止など）。カースト制度は身分を大きく４つに分けている。最上級にある僧侶階級を示す（②　　　　　）、王侯・貴族である（③　　　　　　）、市民である（④　　　　　）、労働者階級である（⑤　　　　　）の４つの階級である。この４つの階級の外に不可触民である（⑥　　　　　）も存在している。仏教の開祖である（⑦　　　　　　　　）は、人間を階級で分け、生まれによって貴賤（きせん）をつけるこの差別制度に強く反対した。

選択肢

ヴァイシャ　スードラ　アチュート　バラモン教　クシャトリア　ゴータマ・シッダールタ　バラモン

問2

2007年度のインドの人口に占める宗教人口の割合を示した表で、①〜⑥に入る適切な宗教を選択肢から選びなさい。

（①　　　　　　）	73.72%
（②　　　　　　）	11.96%
（③　　　　　　）	6.08%
（④　　　　　　）	2.16%
（⑤　　　　　　）	0.71%
（⑥　　　　　　）	0.40%
その他	4.97%

選択肢

シーク教　ジャイナ教　仏教　イスラム教　ヒンドゥー教　キリスト教

正解／解説・補足

問1　①バラモン教　②バラモン　③クシャトリア　④ヴァイシャ　⑤スードラ　⑥アチュート　⑦ゴータマ・シッダールタ

問2　①ヒンドゥー教　②イスラム教　③キリスト教　④シーク教　⑤仏教　⑥ジャイナ教

ヒンドゥー教徒カースト制度

ヒンドゥー教の身分制度である**カースト制度**は、もともとはバラモン教によって始められた。この制度は民を４つの身分（**ヴァルナ**）に分ける。第一階級である僧侶は**バラモン**、第二階級である王侯・貴族は**クシャトリア**、第三階級である製造業者などの市民は**ヴァイシャ**、第四階級である下級労働者は**スードラ**と呼ばれた。また、この４つのヴァルナに属さず、不可触民として差別されている**アチュート**と呼ばれる人々も存在している。この身分制度は極端な差別制度であるため、仏教を創始したゴータマ・シッダールタ（釈迦）は、カースト制度を強く批判した。だが、現在のインドでもこの制度は根強く存在している。

日本では「帝釈天」とも呼ばれるインドラ

ヒンドゥー教における知識と宇宙の創造者、ブラフマー

インドの宗教人口の割合

現在13億以上の人口を抱え、世界第２位の人口を誇るインド。2007年度の統計によると、この国の宗教人口の73.72％がヒンドゥー教徒である。人口比率として２番目に多いのはイスラム教徒で11.96％を占めている。３番目は6.08％でキリスト教徒、それ以下は2.16％でシーク教徒、0.71％で仏教徒、0.40％でジャイナ教徒が続く。また、世界三大宗教はキリスト教（約20億人）、イスラム教（約16億人）、仏教であるが、世界の仏教徒は約４億人であるのに対して、ヒンドゥー教徒の人口は約11億人であり、仏教徒よりも人口が多い。

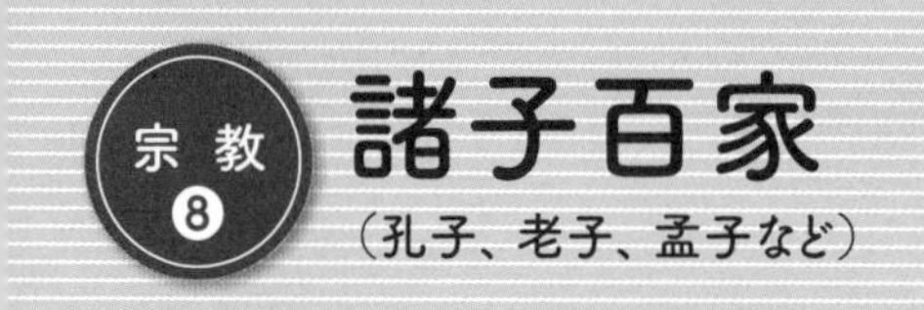

宗教8 諸子百家
（孔子、老子、孟子など）

実践日　　年　月　日

正答数　／16点

問1

儒教について、空欄に入る語句を選択肢から選びなさい。

儒教とは（①　　　）を祖とする中国の思想・宗教体系である。儒教が成立したのは春秋時代であり、この時代は様々な思想・宗教体系を主張する賢人が数多く現れたために、（②　　　）時代とも呼ばれている。この時代、特に知られていた思想が（①）の教えである。彼は小国であった（③　　）の国の王に仕えたが、人間愛としての（④　　）と規範としての（⑤　　）の重要性を強く主張した。その後、高弟である（⑥　　　）が儒教を体系化した。彼は人間の本性を善と考える（⑦　　　）を唱えた。また、（④）とともに道徳的に正しいことを行うべきであるという義を重んじ、（⑧　　　）政治の必要性を説いた。

選択肢

孟子　性善説　性悪説　諸子百家　魯　仁義王道　孔子　礼　仁

問2

中国古代の諸子百家について示した表で、空欄に入る語句を選択肢から選びなさい。

諸子百家	代表的な思想家	主な思想
（①　　　）	墨子	平和主義と博愛主義を唱えた。
陰陽家	（②　　　）	万物の生成と変化を陰と陽によって説明。
（③　　　）	（④　　　）	仁・義・礼・智・信を重視している。
法家	（⑤　　　）	法律万能的法治主義を唱えた。
（⑥　　　）	（⑦　　　）	無為自然による自然性を重視した。
（⑧　　　）	公孫龍	現代で言うところの言語哲学的な思想を説いた。

選択肢

商鞅　道家　老子　墨家　騶衍　名家　儒家　孔子

正解／解説・補足

問1	①孔子　②諸子百家　③魯　④仁　⑤礼　⑥孟子　⑦性善説　⑧仁義王道
問2	①墨家　②騶衍　③儒家　④孔子　⑤商鞅　⑥道家　⑦老子　⑧名家

儒教と孔子の思想

中国における古代思想・宗教で最も重要なものは**儒教**である。儒教は東周・春秋時代に生きた**孔子**によって創始された。この時代は様々な思想や宗教を主張する賢人が数多く現れ、**諸子百家時代**とも呼ばれる。孔子は小国だった魯の国の王に仕えたが、その教えは多くの人々に支持された。孔子の思想の根本原理は人類愛としての**仁**と、規律としての**礼**の重視であった。孔子には多くの高名な弟子がいたが、なかでも**孟子**は特に優れており、儒教の体系化に尽力した。孟子は仁に加えて、道徳としての**義**の必要性を説いた。この考えをもとに彼は人間の本性は善であるという性善説を唱え、仁義を重んじる王による王道政治が政治における理想であると考えた。

孔子

春秋戦国時代の諸子百家

中国古代、主に春秋戦国時代に現れた諸子百家と呼ばれる学者・学派がある。前漢の歴史家・行政官である**司馬談**（司馬遷の父）は代表的な諸子百家を儒家、道家、陰陽家、法家、墨家、名家の六つに分類した。

儒家は孔子を祖とし、仁・義・礼・智・信を重視した。道家は**老子**を祖とし**無為自然**による自然性を重視した。老子以外の思想家としては**荘子**が有名。陰陽家は**騶衍**が代表的思想家であり、万物の生成と変化を陰と陽によって説明する特徴がある。法家は**商鞅**を代表的思想家とし、法律万能的な法治主義を唱えた。墨家は**墨子**を祖とし、平和主義的博愛主義を主張した。名家の代表的思想家は**公孫龍**であり、現代で言うところの言語哲学的な思想を説いた。

宗教 9 神道

実践日　　年　月　日

正答数　　／13点

問1

神道について、空欄に入る語句を選択肢から選びなさい。

神道とは古代から続く日本の民族信仰のことである。原始宗教的な（①　　　　）の性格が強い。キリスト教、ユダヤ教、（②　　　　）のような一神教ではなく、（③　　　　）を崇める信仰である。宗教のように経典は存在せず、『（④　　　　）』や『日本書紀』などに書かれた神話にもとづいている。最高の神とされるのは（⑤　　　　）であり、礼拝所は（⑥　　　　）と呼ばれ、穢れを極端に嫌う特徴がある。

明治維新以降、近代化を押し進めようとした日本政府は、国民統合の支柱として天皇を中心とした（⑦　　　　）という一種の国教政策をとった。しかし、その宗教的イデオロギーを背景に軍国主義が暴走したという負の歴史がある。

選択肢

八百万の神　古事記　天照大神　神社　国家神道　アニミズム　イスラム教

問2

神話について、空欄に入る語句を選択肢から選びなさい。

『古事記』や『日本書紀』には様々な日本の神話が書かれており、日本列島は男神の（①　　　　）と女神の（②　　　　）がつくったとされている。数々の神話のなかでもアマテラスオオミカミが弟の（③　　　　）のいたずらに怒り、（④　　　　）に籠ったエピソードは有名である。この出来事の後に（③）は天界を追放され、地上に降りるが、（⑤　　　　）を退治し、クシナダヒメと結婚する話はよく知られている。また、初代天皇となるカムヤマトイワレビコノミコトの神武東征や、（⑥　　　　）のクマソ討伐の物語も有名である。

選択肢

オオクニヌシノミコト　イザナギ　八岐大蛇　ヤマトタケルノミコト　イザナミ　スサノオ　高天原　天岩戸

正解／解説・補足

問1　①アニミズム　②イスラム教　③八百万の神　④古事記　⑤天照大神
⑥神社　⑦国家神道

問2　①イザナギ　②イザナミ　③スサノオ　④天岩戸　⑤八岐大蛇
⑥ヤマトタケルノミコト

神社を中心に共同体を守る神道

古代日本が発祥の神道に教典はなく、確定した創始者や開祖もいない。自然と神とは一体として認識され、神道の祭祀が行われる神社は聖域とされる。古来より神社を中心に、地縁・血縁で結ばれた村などの共同体を守ることを目的に信仰されてきた特徴がある。

天地開闢と日本列島の誕生

『古事記』『日本書紀』には世界の始まりを示す天地開闢から、**イザナギ**と**イザナミ**による日本列島の誕生のエピソードなどが書かれている。日本誕生後は、最高神で天皇の祖先とされる**アマテラスオオミカミ**などが登場する。

天岩戸から出てきた
アマテラスオオミカミ

神道の行事とアイテム

日本の宗教人口を見ると神道系と仏教系の信者の数が圧倒的に多く、それぞれ人口の約4割を占めている。神道は日本の伝統的信仰であり、汚れを払う**祓い**は重要な宗教行為であり、特に水を使った祓いである**禊ぎ**はよく知られている。正月に神社をお参りする初詣も神道の行事であり、三歳、五歳、七歳の時にお祝いをする**七五三**も神道の行事である。神事に用いられるアイテムとしては**神棚**、**注連縄**、**神鏡**、**祝詞幣**、**神楽鈴**のほかに、古くから神事に用いられる植物である**榊**、神社の門である**鳥居**、祭りに使う**神輿**などがある。

新宗教

実践日　　年　月　日

正答数
／14点

問1

日本の新宗教について、空欄に入る語句を選択肢から選びなさい。

現在、日本には多数の新宗教があるが、その中で最大のものが（①　　　　）である。（①）は日本国内の827万世帯が信者であると主張している。新宗教は一般的には明治期以降に誕生した宗教をさすが、（②　　　　）や（③　　　　）といったそれ以前からある宗教も分類される。大きく分けて、仏教系、（④　　　　）系、キリスト系の新興宗教が存在するが、ヒンドゥー教系の新宗教なども存在する。近年新宗教が大きく問題になったものとしては（⑤　　　　）が起こした、1994年の松本（⑥　　　　）事件や1995年の地下鉄（⑥）事件がある。教祖の（⑦　　　　）は2018年に死刑が執行された。

選択肢

神道　オウム真理教　創価学会　金光教　サリン　麻原彰晃　天理教

問2

世界の新宗教について、空欄に入る語句を選択肢から選びなさい。

新宗教は世界中に存在している。（①　　　　）教は1830年、アメリカ・ニューヨーク州でジョセフ・スミス・ジュニアを開祖として誕生した。（②　　　　）はアメリカのペンシルバニア州で誕生したキリスト教系の新宗教で、輸血拒否問題でしばしば話題となっている。手から金などを出す奇跡を起こすことで有名になったインドの聖者、（③　　　　）を開祖とする宗教も有名である。韓国起源のものとしては（④　　　　）が創始した世界平和統一家庭連合（旧称・世界基督(キリスト)教統一神霊協会）が集団結婚問題などで話題となった。また、1978年にガイアナのジョーンズタウンで起きた（⑤　　　　）信者による集団自殺事件は世界を驚かせ、日本でも（⑥　　　　）が起こした地下鉄サリン事件は世界に衝撃を与えた。それゆえ新宗教教団は、反社会的な（⑦　　　　）集団とみなされることが多々ある。

選択肢

人民寺院　オウム真理教　カルト　モルモン　エホバの証人　サイババ　文鮮明

正解／解説・補足

問1　①創価学会　②天理教　③金光教　④神道　⑤オウム真理教　⑥サリン　⑦麻原彰晃

問2　①モルモン　②エホバの証人　③サイババ　④文鮮明　⑤人民寺院　⑥オウム真理教　⑦カルト

天理教と大本教

日本において新宗教は一般的に明治以降に新たに開かれた宗教のことを言うが、**天理教**、**金光教**など江戸時代末期からある宗教も分類される。現在の日本における新宗教の数は350から400あると言われている。

江戸時代末期に誕生した天理教は、中山みきを開祖とし、「この世は神のからだ」「身のうちのかしもの・かりもの」「ほこり」を中核教理としている。現在、奈良県天理市は人口の４割以上が天理教徒という宗教都市である。

大本教は、出口なおをとその娘婿・出口王仁三郎が興した神道系新宗教だが、1921年と1935年に、政府から激しい弾圧を受けた。世直しとしての理想社会実現を主張する教団の考えが天皇に対する不敬罪にあたるという当局の主張によって、多くの教団幹部が投獄された。その中には、世界語と言われたエスペラント(語)を尊重し、この言語で著作活動もした出口王仁三郎もいた。大本教は現在、明智光成の居城であった京都の亀山城の跡地に本部がある。

カルトとみなされる新宗教

アメリカのユタ州に本部のある**モルモン教**は、世界に1000万人以上の信者がいるとされる。韓国で1954年に文鮮明が設立した**世界基督教統一神霊協会（現・世界平和統一家庭連合）**は、集団結婚だけでなく、霊感商法でも世界各地で社会問題を引き起こした。

新宗教教団は、反社会的行為や犯罪と関係することが少なくないために、悪の集団という意味合いでカルトとみなされることも多い。

ユタ州ソルトレイクシティにあるモルモン教の神殿（礼拝施設）

文鮮明

イランとイラク

イランは世界で唯一のイスラム教シーア派を国教とする国である。1979年、ホメイニ師を指導者として国王パーレヴィを追放したイスラム革命によって成立した体制が、現在も続いている。この革命によって宗教国家が誕生したが、アメリカとの関係は悪化した。

イランの隣国のイラクもシーア派信者が人口の約60%を占める国である。イラクは現体制になる以前は独裁者のサダム・フセインが大統領だった。1980年、フセインはイランと戦争を引き起こし、1990年にはクウェートに武力侵攻。1991年、アメリカ大統領ジョージ・ブッシュの呼びかけのもとで結成された多国籍軍との湾岸戦争に突入する。湾岸戦争によりフセイン政権は崩壊したが、イラク国内は政情が安定せず、内乱状態が長く続いた。

インドとパキスタンの宗教対立

インドとパキスタンは1947年にイギリスから独立した。ガンジーの指導のもとで当初、両国は一つの国として独立するはずであった。しかし、インド国民のほとんどはヒンズー教徒で、パキスタン国民のほとんどはイスラム教徒であることから宗教対立が起き、インドはネールを指導者として、パキスタンはジンナーを指導者として、それぞれ違う国として独立した。

両国の対立は領土問題にもおよび、1947年にはカシミール地方の所属をめぐり戦争となった(第一次印パ戦争)。その後も二度の戦争が起き、1971年から翌年にかけて起きた第三次印パ戦争後には、旧東パキスタンがパキスタンから独立し、バングラデシュが誕生した。その後もインドとパキスタンの関係は改善していない。

経済

実践日　　年　月　日

正答数　／14点

問1

日本の貨幣制度について、空欄に入る語句を選択肢から選びなさい。

日本の貨幣制度の歴史は比較的古く、683年頃の（①　　　）や、708年頃の（②　　　）などが最古級の貨幣とされる。平安時代には平清盛が中国から（③　　）を輸入して広まった。金銀合金による小判を通貨とした時期を経て、明治政府成立後の1871年に新貨条例が定められた。1897年には（④　　　）が採用された。政府が金と紙幣を交換してくれる制度であったが、そのためには（⑤　　　）が十分な量の金を確保しなくてはならないという欠陥を持っていた。1899年には（⑤）によって本位貨幣との交換可能である（⑥　　　）が発券された。しかし1931年に（⑥）が廃止され、現在の（⑦　　　）へ移行した。

選択肢

兌換銀行券　管理通貨制度　宋銭　金本位制　中央銀行　富本銭　和同開珎

問2

国民の政治参加について、空欄に入る語句を選択肢から選びなさい。

1945年	財閥解体、農地改革、労働改革
1947年	（①　　　）成立、公正取引委員会設立
1949年	1ドル＝360円の（②　　　）採用。財政金融引き締め政策である（③　　　）が成立
1950年	（④　　　）戦争による（④）特需が発生
1952年	IMF加盟
1956年	実質GDPが９％を超え、この頃から高度成長が始まる
1964年	オリンピック特需
1971年	（⑤　　　）、（⑥　　　）によって1ドル＝308円に
1973年	円が（⑦　　　）へ移行。第一次石油ショック

選択肢

朝鮮　ニクソンショック　反トラスト法　スミソニアン協定　変動相場制　独占禁止法　固定相場制　ドル本位制　ドッジライン

正解／解説・補足

問1　①富本銭　②和同開珎　③宋銭　④金本位制　⑤中央銀行
⑥兌換銀行券　⑦管理通貨制度

問2　①独占禁止法　②固定相場制　③ドッジライン　④朝鮮
⑤ニクソンショック　⑥スミソニアン協定　⑦変動相場制

日本の貨幣の歴史と金本位制

日本の最古級の貨幣としては、7世紀末の**富本銭**（ふほんせん）、8世紀初めの**和同開珎**（わどうかいちん）が挙げられる。一方で中国などとの貿易も始まり、そのための共通通貨として広まったのは平清盛の時代の**宋銭**が代表的である。その後、金の発見により**小判**が流通したが、多くは金と銀の合金だった。やがて江戸幕府が倒れることで、通貨は紙へと変わっていった。1897年には**金本位制**が採用され、通貨を自由に金と交換できる時代が続いた。金本位制は現在でもその意義を指摘する人が多い制度である。だが、兌換（だかん）銀行券と交換できる金の不足により、1931年に制度は廃止され、**管理通貨制度**に変更された。

戦前戦後の日本の経済体制と日米貿易

戦前の経済体制には独占禁止法はなく、一企業の独占や数企業の寡占（かせん）が普通に見られた。戦後間もなく、改革されたものの1つは**独占禁止法**であった。1949年、日米の貿易に当たって**1ドル＝360円**の固定相場制が決められた一方で、財政金融引き締め策である**ドッジライン**が制定された。この結果、デフレや不況が生じた。朝鮮戦争による特需などで景気を回復し、高度成長を始めた日本だったが、1971年に米ドルと金の兌換一時停止による**ニクソンショック**が生じる。ここで**スミソニアン協定**を結び、実質的に日本の貿易黒字が進んでいた状況に対処した。ここでは1ドル＝308円に変更されたが、日本の貿易黒字、輸出増はこの流れを止められなかった。こうして1973年に完全な**変動相場制**に移って現代に至っている。

リチャード・ニクソン

経済

経済 ❷

国際経済学・1

実践日　　年　月　日

正答数　／13点

問1

次の記述のうち、正しいものに○、間違っているものに×をつけなさい。

（　　）①17世紀から18世紀まで西欧で中心的だった経済思想は、重商主義であった。国家の輸出と輸入を最大化し、経常黒字が続いた。

（　　）②17世紀のフランスで財政を担当したコルベールは輸出拡大による国富の増大や、国営工場を設置することによる産業振興を目指した。

（　　）③18世紀のフランスのケネーは、重農主義を展開し、農業による生産物こそが富の源泉だと考え、『経済表』を発表した。

（　　）④16世紀、イギリスは通貨の品質が低いことでさまざまな職務が困難になった。財政家グレシャムは、女王エリザベス1世に「良貨は悪貨を駆逐する」というグレシャムの法則を述べた。

問2

20世紀の世界経済の歴史について、空欄の語句を選択肢から選びなさい。

20世紀初頭の資本主義経済学は、（①　　）が主流であった。そこには市場は自由放任主義によって自然に安定するものという考えがあった。しかし、1929年の（②　　）によって、アダム・スミス以来の自由放任主義では恐慌が起きる可能性があることが明らかになった。これに対してアメリカの（③　　）大統領は（④　　）によって、財政政策に基づく公共事業を広く行い、失業者に職を与え、景気を持ち直した。この後、イギリスでは1936年に（⑤　　）により『雇用・利子および貨幣の一般理論』が発刊され、経済に積極的に国家が介入し、公共事業なども行うべきだという新しい意見を主張。これは（⑤）革命とまで呼ばれた。戦後も、（⑤）経済学は発展したが、1970年ごろからこれに反対する学派も生まれ、（⑥　　）らのマネタリズムはその代表的なものになった。1980年代にはこれを受けて（⑦　　）の立場を取る指導者も現れた。アメリカの（⑧　　）やイギリスの（⑨　　）である。（⑧）はレーガノミクスとして、減税と規制緩和を行い、小さな政府の政策を推し進めた。

選択肢

ケインズ　フリードマン　新自由主義　レーガン　サッチャー　新古典派　世界恐慌　ルーズベルト　ニューディール政策

正解／解説・補足

問1　①×輸出は最大化したが輸入は最小化を目指した。　②○　③○
④×グレシャムの法則は「悪貨は良貨を駆逐する」

問2　①新古典派　②世界恐慌　③ルーズベルト　④ニューディール政策
⑤ケインズ　⑥フリードマン　⑦新自由主義　⑧レーガン　⑨サッチャー

絶対王政下における重商主義

フランス・ルイ14世などの絶対王政下では、**重商主義**が中心となった。これは輸出を最大化して貿易黒字をもたらす一方、輸入は最小化を目指し、国を豊かにする政策であった。もちろんこのツケは貿易相手に回され、結果として植民地の拡大へと向かった。重商主義は植民地という外部があったためできた経済政策であり、現在ではこうした政策は過去のものとなっている。

20世紀の世界経済と新自由主義による格差社会

経済学は19世紀に古典派から、**限界効用理論**などを取り入れ**新古典派**へと至る。20世紀初頭の先進国は新古典派が中心だった。**アダム・スミス**が言う市場経済は「神の見えざる手」として、国家が介入せずとも適切な資源配分が達成されるという考えがあったが、これは1929年の世界恐慌によって覆された。大恐慌により倒産、失業者が相次ぐなか、アメリカの**フランクリン・ルーズベルト**大統領がとったのは**ニューディール政策**だった。景気回復と雇用確保のため、彼は国家による雇用の創出のための財政政策を行った。この政策により失業者が職を得て、アメリカは世界恐慌の影響を最小限に留めたとも言える。

戦後は**ケインズ経済学**に反対する学派として**マネタリズム（広義の新古典派）**が1970年代ごろから勢力を伸ばした。マネタリズムは中央銀行による市場への金融政策を中心とするものであった。以降、世界経済は、財政政策と金融政策の両方を巧みに使い分けてきた。しかし、1980年代には新自由主義の立場を取るアメリカの**レーガン**やイギリスの**サッチャー**が現れた。彼らは国や政府が市場・経済になるたけ手を出さず、一方で社会保障費なども大幅に削減できるよう、小さな政府を推し進めた。これによって富める者は税金が抑えられいっそう豊かになり、社会的弱者はより困窮した。

アダム・スミス

国際経済学・2

実践日　　年　月　日

正答数　／14点

問1

国際経済の流れについて、空欄に入る語句を選択肢から選びなさい。

1944年7月、戦後の国際金融また為替市場の安定のために金融会議が行われた。この（①　　　　　　）に基づき、第二次世界大戦後の復興対策の一環として、1945年12月、IMF（②　　　　　　）が29か国で創設された。1969年の第一次協定改正によって、加盟国の準備資金を補完するための手段としてSDR（③　　　　　）を創設した。加盟国はそれまでのIMFへの直接借入れに加え、他の加盟国から通貨を融通してもらうことが可能になった。一方、1973年に固定相場制が崩壊。1976年、IMFは（④　　　　　）を承認するキングストン合意を採択した。1978年以降、IMFは（⑤　　　　　）への融資が主要な目的となり、1946年成立の世界銀行との業務の重複が生まれた。現在加盟国は（⑥　　　）にのぼる。

選択肢

特別引出権　変動相場制　ブレトンウッズ協定　通貨　国際通貨基金　発展途上国　190　140

問2

円高・円安について、表の空欄に入る語句を選択肢から選びなさい。

	円高	円安
メリット	（①　　　　　　）	（⑤　　　　　　）
	（②　　　　　　）	生産拠点が国内回帰
		（⑥　　　　）産業で有利になる
		（④）雇用にプラスになる
デメリット	（③　　　　　　）	（⑦　　　　　　）
	外国に生産の拠点が移動	（⑧　　　　　　）
	（④　　）雇用にマイナスになる	

選択肢

輸出企業の業績が好転　インバウンド　輸入商品が高くなる　輸入商品が安く買える　海外旅行が得
輸出企業の業績が悪化　日本での　海外旅行が損

正解／解説・補足

問1　①ブレトンウッズ協定　②国際通貨基金　③特別引出権　④変動相場制
⑤発展途上国　⑥190

問2　①輸入商品が安く買える　②海外旅行が得　③輸出企業の業績が悪化
④日本での　⑤輸出企業の業績が好転　⑥インバウンド
⑦輸入商品が高くなる　⑧海外旅行が損

IMFの設立目的と役割

IMFは1944年7月にアメリカのブレトンウッズで行われた国際連合の会議でその設立が提案された。これは国際経済協力の枠組みの構築と、1929年以降生じた世界恐慌の一因となった通貨切り下げ競争の再発回避を目指したものだった。IMFの最終的な目標は国際通貨制度の安定性の確保である。

1969年には加盟国の準備資金を補完する手段として**SDR**を創設。一方、1973年以降、**ブレトンウッズ体制**が崩壊した後も、1976年の**キングストン合意**を採択してIMFは存続した。現在、IMFの根幹を成す業務として金融支援がある。国際収支の問題が生じている加盟国、また生じる可能性のある加盟国に融資を提供することである。**リーマンショック**以降の世界経済危機を受け、2009年4月に融資能力を強化している。

円高・円安のメリット・デメリット

円高・円安は勘違いしやすい概念だろう。1ドル100円→110円になったときは円安になる。100円で買えていたアメリカドルが110円払わないといけなくなり、つまり円の価値が下がったことになる。この逆に1ドル110円→100円になったときは円高となり意味もすべて円安の逆になる。固定相場制のとき1ドル360円だったことを考えれば、円高は急速に進んだと言える。その分、日本製品の輸出が不利になり、逆に輸入には有利になっていると考えると表の問題も簡単に解ける。

輸入品が安く買えるということは旅先でも安く宿泊・観光・買い物ができるということで円高は海外旅行においても得。円安はその逆になる。輸出を専門とする企業は、円高は大きなダメージになる。一方、輸出と同じで、外国人旅行客を目当てにした**インバウンド産業**では、円安が得になる。

なおユーロはEUの導入国間で固定相場制になるため、ギリシャのように1つの国の景気変動が他の国に大きく影響を与え、ギリシャ自体も自国通貨を切り下げるような金融政策をできず、かえって救われない部分もあり、逆に難しい問題にもなっている。

サブプライムショックとリーマンショック

実践日　　年　月　日

正答数　／10点

問1

年表の空欄に入る語句を選択肢から選びなさい。

1990年	日銀が金融引き締め。バブル崩壊へ
1999年	EUがユーロ導入。日銀が（①　　　　）政策実施
2007年	郵政民営化、日本郵政グループ誕生。（②　　　　）始まる
2008年	（③　　　　）が起きる
2010年	日銀、円高で市場介入。ゼロ金利復活
2011年	円が市場最高値を更新（75円台）
2012年	（④　　　　）開始
2015年	（⑤　　　　）経済危機
2016年	日銀（⑥　　　　）導入
2020年	新型コロナの流行で、世界各国で（③）時以上にGDPが下落

選択肢

リーマンショック　アベノミクス　ギリシャ　マイナス金利政策　欧州連合　金融緩和　サブプライムショック

問2

リーマンショックの流れについて、空欄に入る語句を選択肢から選びなさい。

サブプライムローンとは、アメリカで信用度の（①　　　）住宅ローンを指した。高金利だが、購入した住宅を担保にして低金利のローンに乗り換えることによって低所得者が住宅を購入できた。しかし2006年にアメリカの住宅価格の伸びが止まり、返済不能者が続出。多くのローン会社の破綻につながり、世界の株式市場にも影響が及び、世界同時株安となった。この2007年ごろの住宅バブル崩壊を（②　　　　　　　　）と言う。

一方、リーマンショックは、アメリカの投資銀行である（③　　　　　　　　）が2000年3月にITバブル崩壊の影響を受け、株価を大幅に下げていたのが元凶。2007年の（②）に加え、他分野にわたる資産価格の暴落を背景に、結局、（③）は2008年9月に倒産を申請。アメリカ史上、最大の倒産となり、一気に世界的金融危機が広がった。アメリカ大統領（④　　　　　）が金融安定化法案に署名。日本でも株は大幅に下がり、1982年以来の安値を記録した。

選択肢

リーマンブラザーズ　ジョージ・W・ブッシュ　ドル安　低い　借り換え　サブプライムショック

正解／解説・補足

問1　①金融緩和　②サブプライムショック　③リーマンショック
④アベノミクス　⑤ギリシャ　⑥マイナス金利政策

問2　①低い　②サブプライムショック　③リーマンブラザーズ
④ジョージ・W・ブッシュ

バブル景気終焉以降の日本経済の低迷

1980年代の金融緩和政策によって、日本は**バブル**に突入した。当時の日本は過度な好況とインフレに達し、景気の熱を冷ますため、1990年3月、日銀が急激な金融引き締め政策に転換。以後、徐々にバブル景気は終焉に向かっていった。一方でソ連が崩壊し、東西の冷戦は終結。これによって資本主義は、暴走気味に走り始める。一方、1993年には欧州連合（EU）が設立。1995年1月の加盟国は15か国であったが、2021年現在では27か国になっている。日本に目を転じると、不況から抜け出せず、1999年に日銀が金融緩和に乗り出し、景気回復対策（**ゼロ金利政策**）を行ったもののその成果はなかなか出せなかった。そして2008年、リーマンショックが起きる。株価は下落したが、2010年代、安倍内閣発足ごろから**アベノミクス**の効果もあり株価と新卒者の雇用は回復し、株価は2021年にバブル当時まで戻る最高値を示す。2015年には**ギリシャの金融危機**が起き、EU加盟国であるがゆえにいっそうの問題となる。日本では2016年に日銀の市中銀行に対する**マイナス金利政策**が導入され、金融緩和政策を強める。だが実績を残せず、完全な回復がなされぬデフレと異常な株価高のなか、**コロナ禍**を迎えた。

リーマンショックの日本経済への影響

サブプライムショックと、その後に起きた**リーマンショック**は、恐慌並の経済不況と言う人もいるほどの大きな問題であった。サブプライムローンについて解説したのが前半部。いったん買った住宅を担保にして返済を考えた低所得者の人たちは借り換えができなくなったことで、サブプライムショックが生じた。一方、すでに焦げ付いていた大手投資銀行**リーマンブラザーズ**も2008年、ついに耐えられなくなり史上最大の倒産を生む。これによって世界中に経済不安が広がり、日本では倒産に直接結びついた会社こそ少なかったが、株価の下落、GDPの下落、円高ドル安など大きな影響があった。2020年以降の**新型コロナウイルス**による経済への影響はそれを上回るほどで、GDPの下落、倒産や失業者の増大は大きな問題になっている。

ミクロ経済学

実践日　　年　月　日

正答数
／9点

問1

ミクロ経済学について、空欄に入る語句を選択肢から選びなさい。

経済学は大きくミクロ経済学とマクロ経済学に分けられる。ミクロ経済学を簡単にいうと価格が（①　　）においてどのようなメカニズムで決まっているかを解明する学問である。つまり消費者（家計）と生産者（企業）が取引を行う（①）を分析対象とするものである。一般に、需要が供給を上回れば価格は（②　　）なる。逆に需要が供給を下回れば価格は（③　　）なる。

選択肢

市場　価格　高く　低く　限界効用　限界効用逓減（ていげん）の法則　満足度増減の法則

問2

ミクロ経済学について、空欄に入る語句を選択肢から選び入れなさい。

横軸が品数、縦軸が価格を表すグラフがある。グラフで右下がりを示すAの曲線は（①　　　）曲線、右上がりを示すBの曲線は（②　　　）曲線という。つまり価格が上がれば上がるほど、企業は商品生産数を（③　　）、消費者は商品購入数を（④　　）る。その逆に、価格が下がれば下がるほど、会社は商品生産数を（④）、消費者は商品購入数を（③）る。このようにまったく異なる曲線をたどる需要と供給の曲線は1点で交わる。これが（⑤　　　）点になる。この価格で売買すれば売る側も買う側も損しないということになる。これによって市場は何もしなくても常に均衡し、ともに最適なものになるとして18世紀の経済学者アダム・スミスが（⑥　　）を論じている。20世紀初頭までは、主にこの考えが支配的だった。

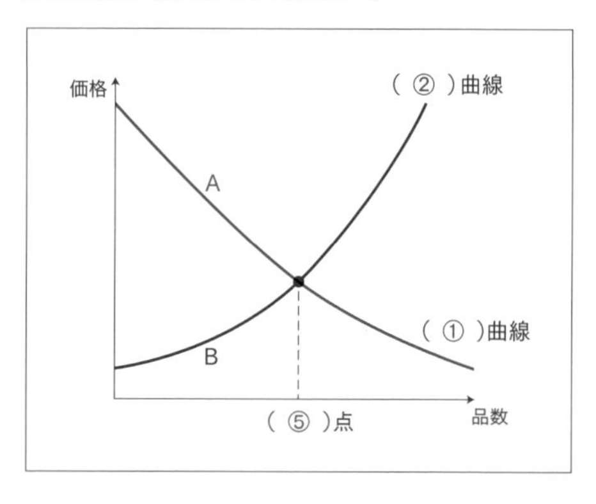

選択肢

価格　相対　需要　供給　下げ　上げ　神の見えざる手　需要供給　市場均衡

正解／解説・補足

問1　①市場　②高く　③低く

問2　①需要　②供給　③上げ　④下げ　⑤市場均衡　⑥神の見えざる手

市場の動向を分析するミクロ経済学

ミクロ経済学は、家計や企業の行動は市場でどのようなメカニズムによって相互に調整され、価格を媒体として決まっていくかを分析する学問である。モノの値段は需要と供給の相対的な関係で決まる。たしかに価格が高いと企業は多く生産してより多く儲けようとする。逆に価格が安いと消費者は多く購入して得しようとする。需要が供給を上回って、商品をほしい人が増えれば自然に価格は高くなる。その逆に需要が供給を下回って、商品をほしいという人が減った場合（需要不足）、商品の価格が下がる。すると、企業の儲けは下がるため、価格が下がるだけでなく、従業員のリストラや給与の下落が起きる。これが悪循環になって社会に広がるのが不況であり、**デフレ**になるわけである。もちろん、この真逆で供給不足になった場合、好況で**インフレ**になる。

一方、この論理だけで説明できないのが人間の難しいところ。消費者の購入には限度がある。ビールを飲みたいと思っても、無尽蔵（むじんぞう）に飲んでずっと同じく満足という人は存在しない。喉の渇きが潤されるとともに飽きも来る。

放っておくと破綻する市場

この設問は、問1で伝えたことをグラフで示したものである。ちなみにこのグラフを初めてつくったのは、19世紀イギリスの新古典派経済学者の**アルフレッド・マーシャル**になる。企業と消費者は市場均衡点で売買が成立し、両者が満足する結果になる。18世紀の古典派経済学者**アダム・スミス**によれば、市場均衡点は自然に決まるもので、放っておけば誰もが満足する価格と数量で取引がなされるとした。しかし、市場を放っておけば（自由放任主義経済）、いずれ需要不足が起き、市場は破綻すると指摘したのが20世紀の経済学者**ケインズ**であり、それは1929年の世界恐慌で証明されたのだ。

ケインズ

マクロ経済学

実践日　　年　月　日

正答数
／12点

問1

マクロ経済について、空欄に入る語句を選択肢から選びなさい。

ミクロ経済学は家計や（①　　）などの小さな経済活動に注目するが、マクロ経済学は（②　　）レベルの経済の動きを分析対象にする。マクロ経済学が誕生したのは1929年ごろ。同年の世界恐慌によって、市場は放任しておけば自動的に調整されるという神話が崩れたことが背景にある。世界規模で失業者があふれるなか、（③　　　　）を増やすことが重要になった。このためには政府が介入し、経済支出をして、（④　　　　）を増やすなどをして、失業者を減らし最終的に（⑤　　　　）を増やす必要がある。こうした思想は1936年にイギリスの経済学者（⑥　　　　）の発表した『雇用・利子および貨幣の一般理論』と符合している。

なお、（⑥）の経済学は（⑥）革命と言われるほど大きな影響を与えたが、1970年代には（⑦　　　　　）などの立場から批判がなされ、現在では（⑥）の主張した（⑧　　　　）政策と、（⑦）などの立場の（⑨　　　　）政策の2つをうまく操ることがよい選択であるとの意見が多数派になっている。

選択肢

国民所得　ケインズ　マネタリズム　企業　国家　有効需要　財政政策　金融政策　公共事業

問2

GDPについて、正しいものに○、間違っているものに×を付けなさい。

（　　）①ある一定期間に国内のみで生産された財やサービスの付加価値の合計をGDP（国民総生産）と言う。

（　　）②GDPに加え、海外支社で生産したモノの付加価値を含むものをGNP（国内総生産）と言う。

（　　）③GNPから固定資本消耗分と純間接税を引いたものをNI（国民生産）と言う。

正解／解説・補足

問1 ①企業　②国家　③有効需要　④公共事業　⑤国民所得　⑥ケインズ　⑦マネタリズム　⑧財政政策　⑨金融政策

問2 ①×国民総生産→国内総生産　②×国内総生産→国民総生産　③○

国家レベルの経済動向を分析するマクロ経済学

経済学は当初、消費者（家計）と生産者（企業）との取引を行う市場分析を対象としたミクロ経済学しか存在しなかった。**マクロ経済学**が生まれる契機になったのは1929年の**世界恐慌**。自由放任主義によって市場は問題なく機能すると思われていたが、それでは不十分であるとわかり、国家レベルで経済学を分析する必要性に人々が気付いたのである。それとほぼ時を同じくして、イギリスの経済学者ケインズが**『雇用・利子および貨幣の一般理論』**を発表。その影響は大きく、ケインズ革命とまで言われた。

ケインズは、市場は放任していれば需要不足になるため、国家（政府）が介入し、公共投資を行わなければならないとした。実際、世界恐慌でもアメリカはルーズベルト大統領の公共事業の創出によって、失業者が減り、消費が拡大し、企業も潤（うるお）い、恐慌から脱出できた。このように国家が財政政策することにより、不安定な市場経済を安定成長へと向かわせることができると考えられ、ケインズの思想は主流になった。だが、1970年代、**フリードマン**らマネタリズムの立場から財政政策に頼る経済政策に限界があると指摘された。実際、政府が公共事業のため資金を集めようとすると、その分、資金需要が増えて銀行の利子率が上昇し、（利子率が高いと投資が不利になる）民間投資を抑制してしまう**クラウディングアウト効果**などの数々の矛盾（むじゅん）を突かれている。現在では、マネタリストの金融政策の方がケインジアンの財政政策より優勢ともいえる。

マクロ経済学に不可欠なGDP

国家レベルで経済を図るのに重要なのは**GDP（国内総生産）**である。**GNP（国民総生産）**もあるが、これは海外で生産されたものまで含めるため、一般に景気を測るのにはGDPを用いている。この国内総生産は、国内での分配、国内での支出、この３つの額がすべて等しくなる。これを**三面等価の原則**という。

一方、GDPには**名目GDP**と**実質GDP**があり、前者は単純計算によるもので物価の変動をそのまま反映する。後者は物価の上昇・下降に合わせて計算するもので、より正しい物価の変動を把握できる。

実践日　　年　月　日

正答数　　／9点

問1

中央銀行の役割と現代の金融政策の状況について、正しいものに○、間違っているものに×を付けなさい。

（　　）①中央銀行は物価の安定のためにオープンマーケットオペレーション（公開市場操作）を行う。国債の売却など金融市場に資金を供給するものと、国債の買い入れなど金融市場から資金を吸収するものなどに分けられる。

（　　）②中央銀行は、政府預金として預かっている国庫金の出納や、国債の発行などを行っている。

（　　）③中央銀行のマイナス金利の導入により、金融機関が企業への貸出を増大させ、経済が活性化することが期待はされている。

（　　）④日本銀行のマイナス金利政策の影響を受け、2016年2月には長期金利が初めてマイナスとなった。

問2

財政政策について、空欄に入る語句を選択肢から選びなさい。

財政政策とは、（①　　　）が雇用を創出するものである。そのために（①）は市場での（②　　　　）を補うために財政支出を行い、とくに（③　　　　）を発注する。これは民間企業では雇用できない労働者を雇用するためのものであった。政府が財政支出することで雇用される人が（④　　　）、その賃金が（⑤　　　　）のである。

選択肢

企業　政府　供給不足　需要不足　国債発行　公共事業　減り　増え　下降する　上昇する

正解／解説・補足

問1　①×　②○　③○　④○

問2　①政府　②需要不足　③公共事業　④増え　⑤上昇する

中央銀行の役割とマイナス金利政策

中央銀行（日本銀行）の役割は、大きく３つある。１つは紙幣を発券する発券銀行であること。もう１つは市中銀行と取引を行う銀行の銀行であるということ。最後の１つは、政府の銀行であること。中央銀行は、金融政策として物価の安定のために**オープンマーケットオペレーション（公開市場操作）**を行う。これは、国債の売買を行うものである。中央銀行が国債を売れば、市中の貨幣が中央銀行に回収される。よって金融引き締め政策となり、インフレ（好況）からデフレ（不況）へと変わる。この逆に中央銀行が市中銀行から国債を買い戻せば、市場に金が溢れ、金融緩和政策になる。これによってデフレ（不況）からインフレ（好況）へと理論上は変わる。**マイナス金利**とは利率を最低限に下げることであり、中央銀行から金を借りる市中銀行には大変に有利なことになる。この結果、社会に金が行き渡り、消費や投資が進むと考えた政策である。しかし、この結果は十分に出ていると言えない。高齢社会のなかインフレ期待が薄いのと同時に、国の支出に対し将来増税で返ってくると思い消費を控え貯蓄に走る人の心理があるからとも言える。

日本銀行

政府主導で行われる財政政策

1970年代以降の資本主義経済は２つのハンドルによって動いているとする意見がある。１つはマネタリストらが主張する**金融政策**であり、もう１つはケインズらが主張する**財政政策**である。どちらの政策も政府がカギを握っていることは同じだが、財政政策は政府が雇用を創出するものである。これは政府が主に公共事業を行うための支出を行い、公共事業によって失業者は仕事を見つけ、賃金をもらい、そして多くの商品を買う。その買った分で企業が潤い、好循環が生まれる。ケインズの思想はこのようなものだった。

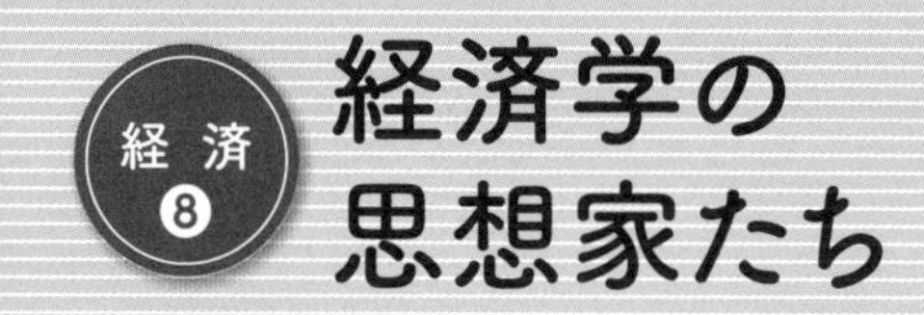

実践日　年　月　日

正答数
／10点

問1

経済学の思想家について、空欄に入る語句を選択肢から選びなさい。

18世紀までの重商主義や重農主義を乗り越えたのが、同世紀後半のイギリスの経済学者（①　　　　）であった。彼は（②　　　）を発表し、経済学の父とも言われる。彼は「神の見えざる手」によって（③　　）は需要と供給の均衡点で成立し、需要も供給も一定の利益を上げるので、（④　　　　）主義を主張した。彼の少し後に登場した（⑤　　　　）は、比較生産費説を主張し、自由貿易を擁護した。異なる地域の人が互いの得意なものを売買することで互いにウィンウィンになると論じたのが彼である。18世紀から19世紀の経済学者には人口の急増による食糧問題が生じることを論じた（⑥　　　　）、労働価値説から資本主義経済のもと資本家に労働者が搾取される問題を論じた（⑦　　　　　　）などがいる。

選択肢

リカード　マルサス　カール・マルクス　アダム・スミス　『国富論』　限界効用理論　市場　自由放任

問2

経済学の思想家について、正しいものに○を、間違えているものに×を付けなさい。

（　　）①19世紀後半の新古典派の代表的人物として、イギリスのケインズがいる。彼は市場を動的な均衡状態として捉えた。さらに市場における貨幣供給量を示した「ケインズのk」も有名であり、需要と供給曲線も考案した。彼は経済学について、社会の貧困問題を解決するものだとして多くの後世の学者に影響を与えた。

（　　）②経済問題を人口の増加による食糧不足の見地から指摘したのは19世紀のマルサスであり、一方で労働価値説に基づき、資本家によって労働者が働いた分を搾取（さくしゅ）され疎外の問題を指摘したのはマルクスである。

（　　）③オーストリア出身で1900年に生まれたハイエクは新自由主義を説き、高い評価を得た。彼は景気循環における貨幣の影響の分析などとともに、中央銀行の不要説まで展開した。

正解／解説・補足

問1　①アダム・スミス　②『国富論』　③市場　④自由放任　⑤リカード
⑥マルサス　⑦カール・マルクス

問2　①× ケインズ→アルフレッド・マーシャル　②○　③○

アダム・スミスと18～19世紀の経済学者

ヨーロッパで絶対王政が栄えたときの経済政策は**重商主義**がメインであった。重商主義は自分たちだけが勝てばいいというものであった。したがってマイナスはすべてその植民地に向けられた。しかし18世紀後半ごろから産業革命が起こり、資本主義が生まれ、重商主義を超えていった。この思想の最初の重要人物が**アダム・スミス**である。

スミスは貨幣経済が、放任していても自然に需要と供給の均衡点が定まり、市場が機能するという**古典派**の思想を主張。この考えは長きにわたり支持され、その基本思想は現在でも高く評価されている。まさに経済学の父である。スミスを追って現れたのが**リカード**で、自由貿易を主張した。リカードはこれまでの宗主国と植民地の考えにはまらずに、その生産物を短時間で生産できる地域はそれを売り、その金で簡単にその地域では生産できない商品を購入することを主張した。19世紀の経済学者には、人口増加によって食糧需給の不足を危惧した**マルサス**や、資本家による搾取によって疎外され、働いた分の給与をもらえない資本主義社会の矛盾を指摘した**マルクス**もいた。

デイヴィッド・リカード

新古典派と限界効用逓減の法則

どんな美味しいものでも一定量を超えるとほしくなくなるという人間の食欲をもとに、**限界効用理論**を展開したのは**ワルラス**、**メンガー**、**ジェヴォンズ**の3人である。これによって、市場が単純に需要と供給の曲線で解決できないことが明らかになった。彼らの存在をもとに、市場経済を絶対視しながらも修正を加えた**新古典派**が生まれた。なお、この食べすぎると欲しくなくなっていくという発想は、**限界効用逓減（ていげん）の法則**と言われている。

実践日　　年　月　日

正答数　　／11点

問1

次の文章の、正しいものに○を、間違えているものに×をつけなさい。

(　　) ①19世紀の資本主義は貧富の差が著しく、そこから資本主義の立場で貧困を失くそうとしたマーシャルのような人物、共産主義革命によって社会の仕組みを変えようとしたマルクスのような人物など、大きく２通りの社会変革を望む人物を輩出した。

(　　) ②マルクスは、労働価値説をとり、過剰な労働力を資本家に搾取されるとして、資本主義社会から共産主義社会への移行を論じた。

(　　) ③マルクスは、革命はブルジョワ革命（市民革命）を経て、成熟した資本主義社会が生み出され、そこで矛盾が限界に達したときに初めてプロレタリア革命が起きると論じた。したがって、このマルクス理論に基づいて共産主義革命が成し遂げられた国は中国のみである。

問2

資本主義の問題点について、空欄に入る語句を選択肢から選びなさい。

21世紀に入り、新自由主義を取り入れる国家が増えている。日本もそうであり、（①　　　　）などの（②　　　　）を行う一方、消費税だけは税率を上げ、一方で（③　　　　）を切り捨てている。この結果、貧富の差が拡大している。この解決ができないのが資本主義経済の問題の１つである。常に（④　　　　）を求め発展を志向し、それが果たせない場合、大幅な（⑤　　　　）になりかねない。うまく止まることができない。自転車操業という言葉はあるが、中小はおろか大企業でもその傾向は資本主義の宿命として持っているのである。一方で、利潤を追い求めることで地球環境への悪影響がさまざまな学者に指摘されている。現在、略語（⑥　　　　）という（⑦　　　　　　　　）が主張されているが、ラジカルなマルクス主義者らによってはそれでは不十分だとされる。すでに地球環境は致命的状態にあるとし、マルクスの晩年の著作を読み直し、それにしたがう（⑧　　　　　　　　）を主張する学者もいる。

選択肢

利益　赤字　SDGs　持続可能な開発目標　脱成長コミュニズム　法人税　増税　減税　社会保障

正解／解説・補足

問1　①○　②○　③×

問2　①法人税　②減税　③社会保障　④利益　⑤赤字　⑥SDGs
⑦持続可能な開発目標　⑧脱成長コミュニズム

マルクスと共産主義による社会変革

19世紀の資本主義黎明期の貧富の差は大きく、多くの学者がそれぞれの立場でこの改善を考えた。**マルクス**は**共産主義**の立場から社会の変革を目指した。ケインズの「大きな政府」の理論は、国家が経済をすべて管理する共産主義との親和性は高い。マルクスは資本主義が高度に発展したうえで限界に達し、恐慌が起き、革命が生じて共産主義国が生まれると予言した。しかし、最初の共産主義国であるソ連は、貧しく封建制が残る国家だった。以降、高度に発達した資本主義国から革命が起きて共産主義国家が生まれた例はない。中国ももちろんそうではない。

カール・マルクス

新自由主義が生む貧富の格差と環境破壊

新自由主義、**新保守主義**は21世紀のグローバルな社会のなかでも大きな影響力を持ったが、そのきしみは大きく現われた。貧富の格差の拡大、そして地球環境の破壊である。地球温暖化は急激に進んでいるが、対策は十分ではなく、国連は**SDGs（持続可能な開発目標）**を進めているが、果たして地球環境の保全と開発が両立できるのか。そして、貧富の格差は日本だけの問題ではなく、世界で最も裕福な8人と、世界人口のうち経済的に恵まれていない半分に当たる36億7500万人の資産が同じとされる。一生使い切れない財産を持つより、それを貧困層に分配するほうがよさそうだが、資本主義は進歩を止めると、たちまち大赤字に転換する危険性を持っている。したがって世界で最も裕福な8人も、巨額の経済寄付をしたり、企業経営をスピードダウンしたりすることはできない。資本主義経済に組み込まれると、どんな大企業でも自転車操業を強いられるのである。

経済⑩ 経営学

実践日　　年　月　日

正答数　　／15点

問1

企業について、空欄に入る語句を選択肢から選びなさい。

製造業などでは資本金３億円以下、従業員数300人以下の企業を（①　　　）企業と呼ぶ。（①）は全体の（②　　　）％以上を占める。だが、出荷額では（③　　　）％程度しか占めていないため、（④　　　）が低いことがわかる。

こうしたなか近年では中小企業の生き残りのために（⑤　　　）ビジネスが注目されている。大企業ではできない、独創的なアイデアをもとに小回りの効く戦術で新しい（⑥　　　）を作り出す。現在は彼らを支援する（⑦　　　）も存在し、企業をサポートする（⑧　　　）もつくられている。

選択肢

ビジネスモデル　ベンチャーキャピタル　インキュベーション　大　中小　99　50　生産性　安全性
下請け　ベンチャー

問2

企業の責任について、空欄に入る語句を選択肢から選びなさい。

大企業を中心とした企業全般に社会的責任を求める声が高まっている。これを略すると（①　　　）と言われる。企業として収益を求めるだけでなく、（②　　　）、（③　　　）などをいかに地域と密接して行っていくかにある。そのためには、企業としての基本である経営の透明化を実施し、責任を持って（④　　　）を遵守していく必要がある。利害関係者に対しては（⑤　　　）があり、秘匿することなく運営することで企業は（⑥　　　）を築くことができる。企業はこの利害関係者を（⑦　　　）と称して、株主から消費者、地域住民などまで含めた人を対象として、彼らに対し責任を持って、企業活動を行う必要がある。

選択肢

アカウンタビリティ　持続可能な社会　ステークホルダー　CSR　環境活動　ボランティア活動
コンプライアンス

正解／解説・補足

問1　①中小　②99　③50　④生産性　⑤ベンチャー　⑥ビジネスモデル　⑦ベンチャーキャピタル　⑧インキュベーション

問2　① ＣＳＲ　②環境活動　③ボランティア活動　④コンプライアンス　⑤アカウンタビリティ　⑥持続可能な社会　⑦ステークホルダー
※②と③は逆でも可

中小企業の役割とベンチャービジネス

全体の99％を占める**中小企業**は、出荷額で全体の50％を占め、日本企業の下支えをしていることがわかる。とくに大企業の下請けとなる中小企業がなくなれば、日本経済は崩壊してしまう。しかし、政府の経済政策は大企業が中心であり、長い間指摘されている問題点となっている。一方、中小企業でも**ベンチャー企業**として新しく起業して成長を目指す会社もある。一般に若い経営者たちが、若い感性とアイデアで進めるビジネスモデルであり、ベンチャービジネスから発展して、大企業となっている企業も無数にある。もちろん無名のままで終わってしまう企業も無数にあるが、起業家精神を重視して、支援するものとして**ベンチャーキャピタル**などがある。ベンチャーキャピタルは高い能力を持つ未上場企業に投資を行う企業である。この他、起業や創業に向けた活動をする入居者を支援する施設として**インキュベーター**があり、これは**インキュベーションオフィス**ともいわれる。

企業が要求されている社会的責任

現在、企業経営に対する世間の目は厳しい。食品偽装などを行えば袋叩きにされ、それだけ企業が身近なものになっている。企業が要求されている社会的責任を、**CSR**といい、これはCorporate Social Responsibilityの略。企業にとっての社会貢献活動はいくつも種類があるが、環境負荷を減らす活動と、従業員のボランティア活動はそのなかでも大きなものとなっている。

また、企業は社会の一員として責任を持って行動するにあたり、**コンプライアンス**を重視しなければならない。法令順守と訳されるとおり、社会の法律だけでなく、高い道徳・倫理観を持って企業活動をしなければならない。さらに現在は**ステークホルダー**という概念が広まっている。これは従業員、株主、消費者だけでなく、地域住民も含めたもので、ステークホルダーに満足してもらう経営をしなければならない状況になっている。そのためには**アカウンタビリティ（説明責任）**を果たし、住民や株主、消費者に信頼されることが大事である。

資本主義の矛盾

1991年のソ連崩壊後、アメリカ人のフランシス・フクヤマは『歴史の終わり』を書き、イデオロギー闘争が終結し、資本主義陣営が共産主義陣営に勝利し、対立の歴史が終わったことを論じた。これにより新自由主義・新保守主義の思想が受け入れられ、先進国では「小さな政府」に傾く国も多かった。日本もそうである。

しかし、その後の資本主義社会はユートピアのようなものではなく、貧富の格差や地球環境への負荷が強まり、これを否定する意見が多く生まれた。その代表が21世紀初頭のイタリア人のネグリとアメリカ人のハートによる共著『帝国』であり、同書では、グローバル社会のなか、巨大な資本制システムが築かれるが、従来のプロレタリアートとは一線を画すマルチチュードたちの手によって、そのグローバル資本主義の矛盾が追及されるとした。

そうした思想の流れを引き継いで2010年代に大ベストセラーとなったのは、フランスのトマ・ピケティによる『21世紀の資本』という著作である。行き詰まった資本主義のなかで経済格差が生じること、新自由主義によって暴走した資本主義の矛盾が指摘され、高額所得者への増税などの理論が語られている。

トマ・ピケティ

哲学・思想

古代ギリシャ

実践日　　年　月　日

正答数
／14点

問1

ソクラテスについて、空欄に入る語句を選択肢から選びなさい。

（①　　）の哲人ソクラテスは（②　　　）やクセノフォンなどの師で、古代ギリシャの哲学者の中でも特に秀でた賢人である（③　　　）と呼ばれる。ソクラテスは徳＝（④　　　）を重視し、相手の主張を聞き、それに反論を加えて対話を繰り返すことで真理に至る（⑤　　）と呼ばれる哲学手法をとった。その思想の根本には「自分は何も知らないが自分が何も知らないということを知っている」という（⑥　　　）の原理がある。国家から死刑判決を受けると「（⑦　　　　）」と言い、国外逃亡を弟子たちから勧められたが、国家の法に従い死に臨んだと言われている。

選択肢

イオニア　アテネ　プラトン　タレス　ソフィスト　アレテー　三段論法　問答法　帰納法　無知の知
知は力である　悪法も法である

問2

プラトンについて、空欄に入る語句を選択肢から選びなさい。

「哲学」の語源である（①　　　　　）とは「ソフィア＝智」への「フィレイン＝愛」を意味する古代ギリシャ語で、その学問的体系化は実質上プラトンによってなされた。プラトンは『（②　　　　　）』や『国家』といった著作において永遠不変の理想形である（③　　）の重視という概念を説いた。万物はそれを基礎として形成されると考え、そのなかでもとくに重んじられたものが「（④　　）の（③）」で、『国家』においては「（④）を中心とした（⑤　　）政治の必要性」が説かれている。また魂を示す（⑥　　　）の重要性にも触れて「肉体が滅びても魂は永遠である」と主張した。このようなプラトンの思想体系を弟子の（⑦　　　）は批判的に発展させることになる。

選択肢

ノモス　フィロソフィア　ソクラテスの弁明　エイドス　イデア　愛　正義　王道　哲人　プシケー
アリストテレス　クセノフォン

正解／解説・補足

問1　①アテネ　②プラトン　③ソフィスト　④アレテー　⑤問答法　⑥無知の知　⑦悪法も法である

問2　①フィロソフィア　②ソクラテスの弁明　③イデア　④正義　⑤哲人　⑥プシケー　⑦アリストテレス

アテネの哲人ソクラテスの思想

古代ギリシャ社会では**ソフィスト**と呼ばれる哲学者や賢人が尊(とうと)ばれていた。ソフィストのなかでもアテネの哲人**ソクラテス**はとくに有名で、**プラトン**や**クセノフォン**など多くの弟子を輩出している。他のソフィストが「何でも知っている」と語るのに対して、ソクラテスは「自分が何も知らないことを知っている」という「無知の知」を唱えた。また相手の主張に反論を加える対話によって真理に到達する「問答法」（産婆術）を用いた。**ダイモン**（デーモンの語源で、当時は神と人の中間の心霊的なものを指した）を信じていたとして、「国家の信仰する神とは異なる神の存在を唱えてアテネ市民を堕落させた」という罪状に問われ、公開裁判において死刑判決を受けた。弟子たちが国外に逃亡することを勧めたが「悪法も法である」として毒盃をあおった。このことはプラトンによって書かれた『**ソクラテスの弁明**』などに書かれている。

プラトン

プラトンの思想的中心概念「イデア」

ソクラテスの弟子であるプラトンは古代ギリシャ哲学を初めて体系化した哲学者である。プラトンはソクラテスを主人公とした『ソクラテスの弁明』、『**ゴルギアス**』、『**パイドロス**』といった様々な作品の中で、その思想における中心的概念である**「イデア」**について説いた。イデアとは万物の理想的な形態を意味する言葉で「あらゆるものはイデアを典型として形作られる」とプラトンは考えた。そしてイデアの中でも正義のイデアを重要視して、『国家』において「正義を実現する哲人による哲人政治が最も理想的な政治形態である」と主張した。また**「肉体は滅びても、魂＝プシケーは永遠である」**との考えも示している。

中世ヨーロッパ哲学

実践日　　年　月　日

正答数
／14点

問1

アウグスティヌスについて、空欄に入る語句を選択肢から選びなさい。

アウグスティヌスは（①　　　　）帝国がキリスト教を国教とした時代に、キリスト教の理論的基盤を構築した神学者である。彼は（②　　　　）と（③　　　　）を対立的に捉え、前者は愛に満ちた世界で、後者は汚れた世界であるとして、「人間は汚れた世界にある汚れたものであるが、（②）へ行くためには（④　　　　）の存在が重要である」とした。また人間の持つ（⑤　　　　）は悪魔の方向に導かれ易いが、（②）に導かれることによって真の（⑤）を手に入れられるとしている。この思想は（⑥　　　　　　　　）らに大きな影響を与え、近代ではショーペンハウアーや（⑦　　　　）からも高く評価された。

選択肢

ビザンチン　ローマ　神の国　希望の国　地の国　教会　友愛　自由　トマス・アクィナス
ニーチェ

問2

スコラ哲学について、空欄に入る語句を選択肢から選びなさい。

中世ヨーロッパの中心思想であるスコラ哲学。スコラはラテン語で（①　　　　）を意味する言葉で、英語の school の語源。スコラ哲学における重要な問題に「普遍論争」がある。スコラ哲学の父と呼ばれた（②　　　　　　）は「普遍は実在し、個に先立って存在する」と（③　　　　）を主張したが、これに対して「普遍は実在性を有するが、ただ個の中にのみ存在する」とする（④　　　　）の立場を採る学者たちとの間で論争が巻き起こった。この論争を調停したのが12世紀フランスの学者（⑤　　　　　）である。13世紀イタリアの神学者（⑥　　　　　　　　）もスコラ哲学の思想家とされる。その後、『方法序説』によって近代思想の幕を開けたフランスの哲学者（⑦　　　　）はスコラ哲学を強く批判した。

選択肢

共同体　学校　カント　アンセルムス　実在論　唯名論　アベラール　トマス・アクィナス　スピノザ
デカルト

正解／解説・補足

問1　①ローマ　②神の国　③地の国　④教会　⑤自由　⑥トマス・アクィナス　⑦ニーチェ

問2　①学校　②アンセルムス　③実在論　④唯名論　⑤アベラール　⑥トマス・アクィナス　⑦デカルト

キリスト教神学を体系化したアウグスティヌス

ローマ帝国がキリスト教を国教化したヨーロッパ中世において、**アウグスティヌス**はキリスト教神学を体系化し、『**告白**』や『**神の国**』などを著（あらわ）した。アウグスティヌスは神の国と地の国を対立した世界として捉え、神の国は愛に満ちた自由な世界であり、地の国は俗世で、汚れに満ちた世界であると主張。汚れた地の国にある人間が神の国へ向かう道を開くものとして教会が必要であるとしている。また、人間の持つ自由は悪魔の方向に導かれやすいが、神の国に至れば真の自由を手にすることができるとも主張する。アウグスティヌスの思想は13世紀**スコラ哲学**の神学者**トマス・アクィナス**に大きな影響を与えただけでなく、19世紀のニヒリストである**ショーペンハウアー**や**ニーチェ**にも大きな影響を与えた。

トマス・アクィナス

スコラ哲学の「普遍論争」

中世ヨーロッパ哲学の中心となったスコラ哲学。スコラは英語のschoolの語源となったラテン語で、学校を意味する。スコラ哲学においては**「普遍論争」**といわれる普遍と実在との関係性に対する論争が起きている。スコラ哲学の父といわれる**アンセルムス**は「普遍は実在し、個に先立って存在する」と「実在論」を主張したが、これに対して「普遍は実在性を有するが、ただ個の中にのみ存在する」という**「唯名論」**が主張された。この2つの立場をめぐる学者たちによる論争を調停したのは12世紀のフランスの論理学者、**ピエール・アベラール**であった。13世紀の思想家トマス・アクィナスもスコラ哲学の思想家とされる。しかしスコラ哲学は、のちに**デカルト**を筆頭とする多くの近代思想家から強く批判されることになる。

イギリス経験論と大陸合理論

実践日　　年　月　日

正答数
／14点

問1

デカルトについて、空欄に入る語句を選択肢から選びなさい。

ヨーロッパ近代思想は大陸合理論を代表する（①　　　　）のデカルトの哲学から始まる。デカルトは主著『方法序説』の中で（②　　　　　　　）と書いたが、この言葉は自立した個人としての近代的（③　　）の確立を宣言するものであった。デカルトの哲学的思索方法は、疑わしきものは徹底的に排除する（④　　　　　）というもので、これが「確固たるものから出発して論証する」という（⑤　　　）の基盤となっている。このようなデカルトの思想をもとにした哲学が大陸合理論であり、（⑥　　　）を重視した（⑦　　　　　　　）とともにヨーロッパ近代思想を形成した。

選択肢

フランス　ドイツ　我思う故に我あり　人間は考える葦である　意識　自我　方法的懐疑　帰納法
演繹法　イギリス経験論

問2

フランシス・ベーコンについて、空欄に入る語句を選択肢から選びなさい。

フランシス・ベーコンはイギリス経験論を代表する思想家である。ベーコンは「（①　　　　　）」といい、（②　　）と（③　　）にもとづく帰納法の重要性を主張した。またベーコンは人間が多くの偏見＝（④　　　　）を持つとして、それを４つに区分。それぞれの（④）を克服する必要性を説いた。ベーコンの経験論はその後、「人間は元来タブラ・ラサ（白紙）である」と語った（⑤　　　　　　　）や『人間本性論』等において懐疑論的思索を行った（⑥　　　　）に受け継がれ、発展していった。また、イギリス経験論はベンサムなどに代表される（⑦　　　　）哲学者たちにも大きな影響を与えた。

選択肢

万人の万人に対する戦い　知は力なり　演繹　実験　観察　イドラ　ヒューム　功利主義　ジョン・ロック

正解／解説・補足

問1　①フランス　②我思う故に我あり　③自我　④方法的懐疑　⑤演繹法
⑥帰納法　⑦イギリス経験論

問2　①知は力なり　②実験　③観察　④イドラ　⑤ジョン・ロック
⑥ヒューム　⑦功利主義

大陸合理論のデカルト

近代ヨーロッパの思想界においては2つの大きな哲学的潮流が誕生した。1つは**「大陸合理論」**の流れで、これを代表する哲学者には**デカルト**や**スピノザ**などがいる。もう1つの哲学的潮流は**「イギリス経験論」**で、これを代表する哲学者には**フランシス・ベーコン**や**ヒューム**がいる。

デカルトは**『方法序説』**の中で「我思う故に我あり」と著した。デカルトの学問的方法は、疑わしいものはすべて疑い、それでも疑い得ないものがあればそこから探究を開始するという方法的懐疑に基づく**「演繹法」**（えんえき）を重視するものである。この演繹法による探究の結果として「我というものは疑い得ないものであり、そこから探究を開始できる」というのが**「我思う故に我あり」**の真意である。このような考察から導き出された近代的自我がイギリス経験論と共にヨーロッパ思想を支える近代的精神の基礎となっていった。

ルネ・デカルト

イギリス経験論のフランシス・ベーコン

イギリス経験論の代表的思想家であるフランシス・ベーコンは、実験と観察にもとづく帰納法を思考法の中核とした。ベーコンは人間が多くの**偏見＝イドラ**を抱えていると考え、これを「感覚による種族のイドラ」「個人の特性による洞窟のイドラ」「コミュニケーションにかかわる市場のイドラ」「権威や伝統にもとづく劇場のイドラ」の４つに分けると、こうしたイドラを乗り越えることの必要性を説いた。このようなベーコンの考えはイギリス経験論の系譜のなかで、「人間は元来**タブラ・ラサ（白紙）**である」と語った**ジョン・ロック**や、懐疑論を展開したヒュームなどに発展的に継承され、さらに**ベンサム**などの**功利主義哲学者**たちにも影響を与えた。

ドイツ観念論

実践日　　年　月　日

正答数
／14点

問1

カントについて、空欄に入る語句を選択肢から選びなさい。

ドイツ観念論の基盤を構築したカントは『(①　　)理性批判』、『実践理性批判』、『(②　　　)批判』という三大批判書を著した。カントは人間の認識を（③　　）と（④　　）という２つのものがあらかじめ（ア・プリオリに）存在しているとして、(④)を①質、②量、③（⑤　　）、④（⑥　　）の４つのカテゴリーに分類した。また道徳問題の考察も行い、「汝の意志の格率が常に同時に普遍的立法の原理として妥当するように行為せよ」と道徳の絶対規則（定言命令）の根本性を説いた。また『(⑦　　)』の中では国際紛争解決手段としての戦争という国家行為を強く批判した。

選択肢

感性　悟性　関係　純粋　判断力　様態　永遠平和のために　権利のための闘争

問2

ヘーゲルについて、空欄に入る語句を選択肢から選びなさい。

ドイツ観念論の完成者と称されるヘーゲル。その最大の仕事とされるのがヘーゲル弁証法の確立である。1807年の著書『(①　　　　　)』の中でヘーゲルは「弁証法は事象の関係を(②　)＝テーゼ、(③　)＝アンチ・テーゼ、(④　)＝ジン・テーゼによって捉えるもので、テーゼとアンチ・テーゼとの対立関係はジン・テーゼによって乗り越えられる＝（⑤　　　　　　）されるものである」と説いている。また『法哲学』では客観的精神は「家族」「市民社会」「(⑥　　)」の三段階に発展していくとしている。同著は「哲学は歴史的認識を遅れてしか行うことができない」ということを語った「(⑦　　　　　)の梟は夕暮れになってはじめて飛び立つ」との言葉でも知られる。

選択肢

精神現象学　意志と表象としての世界　反　合　正　国家　ミネルヴァ　アウフヘーベン

正解／解説・補足

問1　①純粋　②判断力　③感性　④悟性　⑤関係　⑥様態　⑦永遠平和のために

問2　①精神現象学　②正　③反　④合　⑤アウフヘーベン　⑥国家
⑦ミネルヴァ

ドイツ観念論を体系化させたカントの思想

イギリス経験論と大陸合理論を総合させて一大思想体系を作ったのが**ドイツ観念論**である。これを代表する哲学者としては、**カント**、**フィヒテ**、**シェリング**、**ヘーゲル**の4人が挙げられる。

特にカントの『**純粋理性批判**』『**実践理性批判**』『**判断力批判**』の三大批判書は近代西洋哲学の基盤となった。その前期では認識問題の研究に努め、認識を**感性**と**悟性**(ごせい)に二分したうえで悟性を①質、②量、③関係、④様態の4つのカテゴリーに分け、悟性の総合能力としての**理性**の中心性を説いた。後期カント思想においては道徳の問題を重要視して、「汝(なんじ)の意志の格率が常に同時に普遍的立法の原理として妥当するように行為せよ」という絶対規則（**定言命令**）を道徳の根本原理とした。

イマヌエル・カント

ドイツ観念論を完成させたヘーゲル

ドイツ観念論はヘーゲルによって完成したとも言われている。ヘーゲルは1807年の著書『**精神現象学**』で**近代弁証法**を確立。弁証法においては事象の関係を正＝**テーゼ**と反＝**アンチ・テーゼ**の対立と捉(とら)え、それが合＝**ジン・テーゼ**によって総合されるものだとしている。簡単に例えるならば、正：「私はハワイに行きたかった」、反：「妻はグアムに行きたかった」、合：「私たちはハワイとグアム、両方に行った」というようなことであり、そうして対立が乗り越えられることを**止揚**(しよう)**＝アウフヘーベン**と定義した。ヘーゲルは社会や歴史の流れも弁証法的に捉えて、それが家族、市民社会、国家というように展開することを『**法哲学**』において説いた。

哲学・思想

マルクス主義哲学

正答数　／14点

問1

マルクスの思想について、空欄に入る語句を選択肢から選びなさい。

マルクスの社会主義思想では「人間の歴史は（①　　）闘争の歴史である」としている。1848年にエンゲルスとともに著した『(②　　　　)』の中で、マルクスは「人間の歴史が自由民と奴隷、都市貴族と平民、領主と農奴といった抑圧者が被抑圧者を（③　　）し、常に対立した歴史である」と述べている。そして19世紀に（①）対立は、資本家＝（④　　　　　　）と労働者＝（⑤　　　　　　）との対立となったと分析し、この対立を弁証法的に止揚するためには（⑥　　　）が必要であると論じた。またマルクス経済学の原点となった『(⑦　　　)』は現在に至るまで、多くの思想家に影響を与え続けている。

選択肢

理性　疎外　階級　リヴァイアサン　共産党宣言　プロレタリアート　ブルジョワジー　資本論　超人
武力革命

問2

マルクスの思想について、空欄に入る語句を選択肢から選びなさい。

マルクスの政治思想は彼の死後、大まかに「修正主義」「教条主義」「左派修正主義」「レーニン主義」の4つに分かれた。主に「修正主義」は（①　　　　　　）、教条主義は（②　　　　　）、左派修正主義は（③　　　）、そしてレーニン主義はレーニンにより展開されていった。（①）はドイツ社会民主党員として（④　　　　　　）を通した改革の道を目指し、（③）はのちにイタリアでファシスト党の党首となる（⑤　　　　　）に影響を与えた。マルクスの革命理論を実現させたのはレーニンで、1917年に（⑥　　　　）を成し遂げて世界で初めての社会主義国家である（⑦　　　　　　　　）を樹立させたが、この国家は1991年に解体した。

選択肢

カウツキー　ソレル　ベルンシュタイン　ムッソリーニ　議会制民主主義　共産主義　七月革命
ロシア革命　ロシア連邦　ソビエト社会主義共和国連邦

正解／解説・補足

問1　①階級　②共産党宣言　③疎外　④ブルジョワジー　⑤プロレタリアート　⑥武力革命　⑦資本論

問2　①ベルンシュタイン　②カウツキー　③ソレル　④議会制民主主義　⑤ムッソリーニ　⑥ロシア革命　⑦ソビエト社会主義共和国連邦

共産主義思想を体系化したマルクス

マルクスは**エンゲルス**とともにヘーゲル哲学を独自に発展させて**共産主義思想**を体系化した思想家であり、革命による理想国家樹立のための理論を打ち立てた。1848年、エンゲルスとともに著した『**共産党宣言**』の中で、人間の歴史が自由民と奴隷、都市貴族と平民、領主と農奴といった抑圧者が被抑圧者を疎外し、2つの階級が常に対立した歴史であると述べると、工業化が著しく発展した19世紀において階級対立は、資本家である**ブルジョワジー**と労働者である**プロレタリアート**との対立となり、この対立はプロレタリアートによる武力革命によって弁証法的に止揚（アウフヘーベン）されると論じた。

また『**資本論**』では資本主義というシステムを分析したうえで、その問題点を指摘。共産主義への社会変革への道の必要性を提示した。

マルクスの死後に4つに分かれた思想

マルクスの思想は彼の死後、大きく4つの方向に展開していった。**ベルンシュタイン**による修正主義、**カウツキー**による教条主義、**ソレル**による左派修正主義、**レーニン主義**である。

修正主義はドイツ社会民主党（SPD）の指導原理となり議会制民主主義による体制変更を目指し、教条主義者と対立した。左派修正主義はのちにイタリアでファシスト党の党首となる**ムッソリーニ**に影響を与えた。マルクスの革命理論を実現させたのは**レーニン**で、1917年にロシア革命を成し遂げて世界最初の社会主義国家であるソビエト社会主義共和国連邦を誕生させた。だが1991年のソ連解体以降、マルクス主義は退潮することになった。

ウラジーミル・レーニン

哲学・思想

実践日　　年　月　日

正答数
／15点

問1

ソシュールについて、空欄に入る語句を選択肢から選びなさい。

近代言語学の父と呼ばれる（①　　　）の言語学者ソシュールは、言語を言語活動としての（②　　　　　）と言語体系としての（③　　　）、個人によって用いられる言葉としての（④　　　　）の3つに分けて、言語学の探究対象は（③）であると論じた。ソシュールの理論は弟子たちによって編纂され、1916年に発刊された『(⑤　　　　　　)』の中にまとめられた。そこでは言語記号を形態的な側面で意味するものとも訳される（⑥　　　　　）と、概念的側面で意味されるものとも訳される（⑦　　　　）とに分け、2つの異なる構造を持つものとして研究を行った。また、（⑥）と（⑦）の関係を客観的・物理的に証明することはできないといった点や、各言語によって現実を切り取る仕方が異なるといった点を示す（⑧　　　　）という問題についての考察も行った。

選択肢

スランス　スイス　ラング　パロール　ランガージュ　一般言語学講義　一般言語学要理　シニフィアン　言語恣意性　シニフィエ

問2

言語学について、空欄に入る語句を選択肢から選びなさい。

ソシュールに始まる近代言語学理論は（①　　　　）思想に大きな影響を与え、特にヨーロッパ言語学においては、フランスの（②　　　　　）を中心とした機能主義とデンマークの（③　　　　　）による言語素論に受け継がれていった。（②）は言語が音と意味に（④　　　　）される点を強調し、言語が差異によって単位決定される（⑤　　　）を理論の中心とした。（③）は言語を表現と（⑥　　）、形相と実質のレベルに区分して、例えば表現の面で「プ」という実際の音（[p]）は実質を表し、「プ」という各言語の単語を使うために必要な音の単位である（⑦　　）（/ p /）は形相を表すとの論理を展開した。

選択肢

実存主義　構造主義　マルティネ　イェルムスレウ　二重分節　関係性　弁別性　内容　本質　音素

正解／解説・補足

問1　①スイス　②ランガージュ　③ラング　④パロール　⑤一般言語学講義　⑥シニフィアン　⑦シニフィエ　⑧言語恣意性

問2　①構造主義　②マルティネ　③イェルムスレウ　④二重分節　⑤弁別性　⑥内容　⑦音素

言語学者ソシュールの言語哲学

近代言語学の父と呼ばれたスイスの言語学者**ソシュール**の理論は現代思想、特に構造主義思想家たちに大きな影響を与えた。ソシュールの思想は弟子たちが編纂し、1916年に発刊された講義録『**一般言語学講義**』に詳しくまとめられている。ソシュールは言語記号は形態としての**シニフィアン**と概念としての**シニフィエ**によって成り立つものであると論じ、言語の音の側面と意味の側面の関係を物理的・客観的に正当化する理由はないという点や、各言語が現実を切り取る方法は言語ごとに異なる点を示す言語恣意性に関する理論を展開した。

フェルディナンド・ソシュール

機能主義と言語素論に大別されるヨーロッパ言語学

ソシュールの理論を継承した言語学者たちによる理論は、**構造主義言語学**と呼ばれる。ヨーロッパでの言語学は、**機能主義**のグループと**言語素論**のグループに大別される。機能主義はフランスの言語学者**マルティネ**を中心として形成され、言語の音の側面と意味の側面という異なる2つの側面を二重分節構造として捉えて考察する立場を取っている。また言語記号は他の記号との差異によって決定されるという考えを提示している。言語素論はデンマークの言語学者**イェルムスレウ**を中心としたグループが展開したもので、言語を表現と内容、形相と実質という4つのレベルに区分した。これにより、例えば表現の面で「ス」という実際の音（[s]）は実質を表し、「ス」という各言語の単語を使うために必要な音の単位である音素としての「ス」（/ s /）は形相を表すとしている。また内容の面では、例えば英語のoxが表す意味が実質であり、oxの持つ「牛性」や「牡」といった意味的特徴が形相であると論じている。

実践日　　年　月　日

正答数
／13点

問1

初期の実存主義哲学について、空欄に入る語句を選択肢から選びなさい。

実存主義哲学の先駆者と評される19世紀前半のデンマークの哲学者（①　　　　　）は、（②　　　　　　）の裕福な家に生まれ神学を学んだ。主著『死に至る病』で「死に至る病とは（③　　）のことである」と説くと、当時主流であったドイツ観念論の完成者である（④　　　　）の思想に対して批判を加え、「（⑤　　　　　　）」と語っている。

（③）とともに（⑥　　）も主要問題の一つとしたが、こうした暗い側面を抱えつつも、世界の中において唯一人で、自らに対する逆数に立ち向かっていく（⑦　　　）の重要性についても説いている。

選択肢

カント　キルケゴール　コペンハーゲン　ヘーゲル　絶望　敵意　不安　あれかこれか　単独者

問2

ハイデガーについて、空欄に入る語句を選択肢から選びなさい。

20世紀のドイツにおいて、最も後世への影響を与えた哲学者の一人として挙げられるのがハイデガーである。（①　　　　　）の弟子として（②　　　）を研究するなかで、存在論へと研究方向を転換すると、1927年に『（③　　　　　）』を著し、「現存在＝（④　　　　　　）の存在様式」を探究した。

ここでは「世界に受動的に投げ込まれていながら、主体的に世界に投企しようとする存在様式」、つまりは「（⑤　　　　　）する存在であること」が考察されている。晩年には、現代テクノロジー社会によってわれわれが疎外され（⑥　　　　）の状態になっている問題点についての批判的探究を行っている。

選択肢

フィンク　存在と無　存在と時間　ダー・ザイン　フッサール　限界状況　現象学　世界内存在
故郷喪失

正解／解説・補足

問1　①キルケゴール　②コペンハーゲン　③絶望　④ヘーゲル　⑤あれかこれか　⑥不安　⑦単独者

問2　①フッサール　②現象学　③存在と時間　④ダー・ザイン　⑤世界内存在　⑥故郷喪失

実存主義の先駆者キルケゴール

19世紀前半に活動したデンマークの哲学者**キルケゴール**は、**実存主義**の先駆者と評される。キルケゴールはコペンハーゲンの裕福な家庭に生まれ、大学で神学から哲学への道を歩んだ。実存主義者とされるのは、主著**『死に至る病』**において「死に至る病とは絶望である」と書いているように、絶望や不安に満ちた世界でのわれわれ人間の存在の方向性について熟慮したことによる。

セーレン・キルケゴール

絶望的で不安な世界にあっても、一人そうした暗い世界に立ち向かおうとする単独者たることの重要性を強調した点は、のちの実存主義に通じる思想であった。

20世紀最大の哲学者ハイデガーの思想

20世紀最大の哲学者とも評される**ハイデガー**。**サルトル**はハイデガーを**実存主義者**と呼んだが、ハイデガー本人は自らを現象学と存在論を主要探究課題とした哲学者であると考えていた。1927年に発刊された**『存在と時間』**の中でハイデガーは、人間存在である**現存在＝ダー・ザイン**の存在様式を探究している。そこでは「現存在の存在様式は、理由もわからずに世界に投げ込まれている（被投企性）が、世界に対して自らを投げ出すこと（投企）が可能な存在でもある」としていて、この存在様式を**世界内存在**と呼んだ。ハイデガーはフライブルク大学学長時代、ヒトラーの率いるナチス党を支持したことで大きな問題となり、戦後しばらくは大学の教壇に立つことができなかった。晩年には現代テクノロジー社会によってわれわれが疎外された状態を故郷喪失として捉え、科学進歩のみを妄信する現代社会の在り方を強く批判した。

功利主義

実践日　　年　月　日

正答数
／13点

問1

ベンサムについて、空欄に入る語句を選択肢から選びなさい。

　イギリス功利主義を代表するベンサムは「(①　　　　　　　　)」の言葉で知られる。これは功利主義思想の根本を示したものである。ベンサムは個人の幸福の総計が（②　　）全体の幸福であると考え、幸福や快楽は（③　　）することができると論じた。

　また、一望監視制度である（④　　　　　）というシステムも提唱し、この考えはフランスの現代思想家（⑤　　　）に影響を与えた。著書に『(⑥　　　　　　　　　)』など。

選択肢

最大多数の最大幸福　社会　量化　エノンセ　パノプティコン　フーコー　東インド会社　ファビアン協会
知の考古学　道徳および立法の諸原理序説

問2

ジョン・スチュアート・ミルについて、空欄に入る語句を選択肢から選びなさい。

　イギリス功利主義のパイオニアである（①　　　）の理論を発展させたジョン・スチュアート・ミルは、「(②　　）が個人の発展に必要不可欠なものであり、何物も干渉できないものである」と考えた。これはミルの「満足した愚か者であるよりは、不満足な（③　　　　　）であるほうがよい」という言葉にも表れている。

　(①）が幸福を（④　　）な側面から捉えたのに対して、ミルは（⑤　　）な差異を重視した。(⑥　　　　　　　）などの空想的社会主義者の影響も受けたといわれる。著書に『功利主義論』や『(⑦　　　)』などがある。

選択肢

ベーコン　ロバート・オーエン　ソクラテス　ベンサム　平等　自由　量的　質的　国家論　自由論

正解／解説・補足

問1　①最大多数の最大幸福　②社会　③量化　④パノプティコン　⑤フーコー
⑥道徳および立法の諸原理序説

問2　①ベンサム　②自由　③ソクラテス　④量的　⑤質的
⑥ロバート・オーエン　⑦自由論

イギリス功利主義の先駆者ベンサムの思想

ベンサムはイギリス功利主義の先駆的存在であり、**「最大多数の最大幸福」**という言葉がよく知られている。これは「個々人の幸福の総計が公的な社会全体の幸福につながる」というイギリス功利主義の基本精神の一つにもなっている。またベンサムは一望監視制度＝**パノプティコン**というものを考案し、このシステムに対する考えはフランスの代表的な構造主義哲学者である**フーコー**に大きな影響を与えた。代表的著作に**『道徳および立法の諸原理序説』**がある。

ジェレミ・ベンサム

質的な幸福や快楽を重視したミルの思想

イギリス功利主義はベンサムが確立し、「満足した愚か者であるよりは、不満足なソクラテスであるほうがよい」との言葉で知られる**ジョン・スチュアート・ミル**が発展させた。ベンサムとミルの功利主義との差異は、ベンサムが量的な幸福や快楽を重視したのに対して、ミルは質的な幸福や快楽を重視した。ミルは**ロバート・オーエン**などの空想的社会主義的考えも尊重し、社会をよりよい方向に改革しようと思索した。著書に**『功利主義論』**や**『自由論』**などがある。

公的レベルでも質的な幸福や快楽を重視した功利主義

イギリス功利主義は**ベーコン**、**ロック**、**ヒューム**といったイギリス経験論の思想家の影響を受けて展開した。代表的な功利主義であるベンサムとジョン・スチュアート・ミルに共通する考え方として、幸福や快楽の効用を重視し、それが善であるとした点が挙げられる。また幸福や快楽を個人的レベルだけではなく、政治、経済、社会的などの公的レベルにおいても実現すべきであると考えた。そのため多くの功利主義者は思想家にとどまらず、経済学や政治学などの探究も積極的に行った。

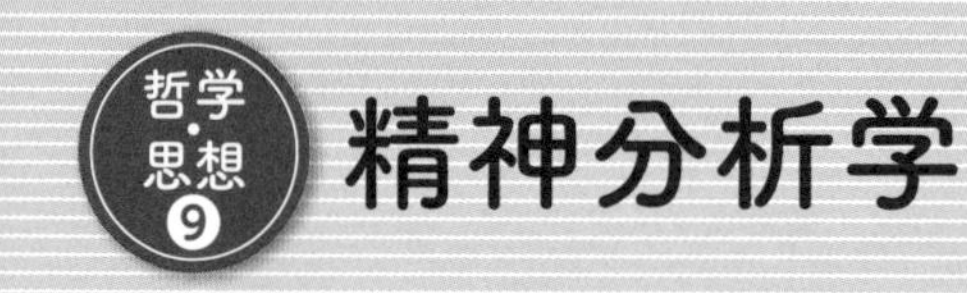

哲学・思想9 精神分析学

実践日　　年　月　日

正答数　　／14点

問1

フロイトについて、空欄に入る語句を選択肢から選びなさい。

精神分析学のパイオニアである（①　　　　　）の医師フロイトは、意識の探究のみでは理解できない無意識の問題を初めて学問的に考察した。フロイトの著書には『(②　　　)』や『(③　　　　　　)』といったものがあり、そこで「われわれの精神は自我、(④　　)、超自我という異なる構成物から成り立っていて、自らの欲望を隠すために無意識が意識に働きかけ、真の欲望の対象を抑圧したり、変形したりする」との論を展開した。さらにフロイトはその原因が「性衝動としての（⑤　　　　）である」と主張している。後期フロイト理論において重要な概念には「死の本能＝（⑥　　　　）」がある。(⑥)は「生の本能＝（⑦　　　）」と対を成す人間の二大本能であり、人間行動においては相互に、あるいは結合的に反応を起こすものであるとフロイトは考えた。

選択肢

スイス　オーストリア　夢判断　人間悟性論　精神分析学入門　リビドー　タナトス　エス　エロス

問2

ユングについて、空欄に入る語句を選択肢から選びなさい。

（①　　　）の精神分析学者ユングは（②　　　　）と並ぶ精神分析学のパイオニアとされている。ユングは（②）のように性衝動＝リビドーを中心にした個人的範疇で無意識を考察するのではなく、民族などの共同体内の共通した記憶としての（③　　　　　）の存在を提示した。またユングは、人間の性格を分類した（④　　　　）も展開した。そこでユングは人間の活動様式を（⑤　　　）と（⑥　　　）という２つの態度に分け、さらにこれを思考、感情、感覚、直観の４つの機能に分けた。主要著作に『転換のシンボル』や『(⑦　　　　　　)』がある。

選択肢

ドイツ　スイス　フロイト　ウィニコット　分裂型　内向型　外向型　心理学的類型　集合的無意識　タイプ論

正解／解説・補足

問1 ①オーストリア ②夢判断 ③精神分析学入門 ④エス ⑤リビドー
⑥タナトス ⑦エロス ※②と③は逆でもよい

問2 ①スイス ②フロイト ③集合的無意識 ④タイプ論 ⑤内向型
⑥外向型 ⑦心理学的類型 ※⑤と⑥は逆でもよい

フロイトによって始まった精神分析学

精神分析学はオーストリアの医師**フロイト**によって始まった新しい学問である。それまでの学問が意識のみを考察対象としたのに対して、フロイトは無意識という新たな研究対象の探究を行った。フロイトは**『夢判断』**と**『精神分析学入門』**などの著作を通じて「われわれの精神は自我、エス、超自我という異なる構成物から成り立っていて、自らの欲望を隠すために無意識が意識に働きかけ、真の欲望の対象を抑圧したり、変形したりする」と主張した。そして、その要因が**「性衝動＝リビドー」**にあると定義した。後期フロイト理論において重要な概念となるのは生の本能である**エロス**と死の本能である**タナトス**の関係性である。この人間の二大本能は、人間行動に相互に、あるいは、結合的に反応を起こすものであるとフロイトは考えた。

ジークムント・フロイト

ユングが展開した「タイプ論」

フロイトと並ぶ精神分析学のパイオニアであるスイスの医師ユングは、無意識の問題をフロイトのように個人のレベルやリビドーというレベルから考察するのではなく、民族的、集団的な記憶の発露としての集合的無意識のレベルから考察した。また心理学的側面からは**「タイプ論」**を展開。そこでユングは人間の行動様式を内向型と外向型という2つの型に分け、さらにそれを思考、感情、感覚、直観の4つの機能に分類した8つの心理的モデルを構築した。これは現在行われている様々な学術的心理テストの基盤にもなっている。後半生においてはUFOやオカルト的事象の研究も行っている。その著書**『転換のシンボル』『心理学的類型』**などは、のちの多くの学者たちに影響を与えることとなった。

構造主義とポスト構造主義

実践日　　年　月　日

正答数　　／14点

問1

構造主義者について、表の空欄に入る語句を選択肢から選びなさい。

名前	誕生年～死去年	主著	主要概念
(①　　　　)	1915年～1980年	『テクストの快楽』	零度のエクリチュール
(②　　　　)	1926年～1984年	『知の考古学』	パノプティコン、エピステーメー
(③　　　　)	1918年～1990年	『マルクスのために』	認識論的切断、(⑥　　　)
(④　　　　)	1901年～1981年	『エクリ』	鏡像段階、(⑦　　　　)
(⑤　　　　)	1908年～2009年	『野生の思考』	互酬性、構造図式

選択肢

ラカン　レヴィ=ストロース　ロラン・バルト　フーコー　アルチュセール　重層決定　世界内存在
大文字の他者

問2

ドゥルーズについて、空欄に入る語句を選択肢から選びなさい。

フランスのポスト構造主義を代表する哲学者の一人であるドゥルーズは、(①　　)とともに『アンチ・オイディプス』や『(②　　　　　)』などを著して現代フランス思想をリードした。ドゥルーズの思想の中心概念の一つがリゾームである。リゾームとは旧来の西洋の学術体系が持つ考察対象に対する(③　　　)で階層的な構造化でなく、(④　　　)で横へ横へと広がっていく方向性を持つものである。この概念は遊牧的であることを意味する(⑤　　　)という概念にも通じ、多分野の問題を横切ることを示す(⑥　　　)という概念にも通底している。ドゥルーズは文学や映画への関心も高く、『(⑦　　　　　　　)』『シネマ1』『シネマ2』といった著作もある。

選択肢

デリダ　ガタリ　ノマド　横断性　垂直的　水平的　地の考古学　千のプラトー　プルーストとシーニュ

正解／解説・補足

問1　①ロラン・バルト　②フーコー　③アルチュセール　④ラカン
⑤レヴィ=ストロース　⑥重層決定　⑦大文字の他者

問2　①ガタリ　②千のプラトー　③垂直的　④水平的　⑤ノマド　⑥横断性
⑦プルーストとシーニュ

構造主義の現代思想家たち

現代思想において、1960年代に大流行した「構造」という概念を最重要視したのが構造主義である。フランスを中心に起きたそのムーブメントの代表的思想家にレヴィ＝ストロース、ラカン、ミシェル・フーコー、アルチュセール、ロラン・バルトがいる。

レヴィ＝ストロースは著書『**野生の思考**』などで「互酬性」や「構造図式」といった概念を示して構造主義思想の基礎となる理論を形成した。**ラカン**は『**エクリ**』で鏡像段階や大文字の他者といった概念を用い、精神分析的立場の構造主義理論を展開した。**ミシェル・フーコー**は『知の考古学』などの著書で**「エピステーメー」**や**「パノプティコン」**といった概念を用いて、認識論的な知の布置の転換という点から構造主義的主張を行った。『マルクスのために』などを著した**アルチュセール**は、認識論的切断や重層決定といった概念を用いてマルクス主義の敵側面から構造の問題を探究した。**ロラン・バルト**は『テクストの快楽』などにおいて「零度のエクリチュール」という概念を説き、記号学的視点からの構造主義アプローチを行った。

ポスト構造主義のドゥルーズの思想「リゾーム」

ポスト構造主義を代表する哲学者の一人である**ドゥルーズ**は**ガタリ**とともに『アンチ・オイディプス』や『千のプラトー』などを著し、現代フランス思想界をリードした。ドゥルーズの思想の中心概念の一つが**「リゾーム」**である。体系的で垂直的な従来の西欧哲学の探究アプローチに対して、リゾームは横断的、水平的な横への広がりを意味する用語である。ドゥルーズはリゾームの他にも、遊牧民的であることを示す**「ノマド」**、部分を総合する統一体を否定するものである「器官なき身体」、多分野にまたがる関係性を示す「横断性」といった概念を使いながら、多様性と関係性に基づく思想を展開していった。

正解／解説・補足

ポスト構造主義のデリダの思想

アルジェリア出身のユダヤ系フランス人である哲学者**デリダ**は、ポスト構造主義を代表する哲学者の一人である。

デリダの思想における中心概念としては、**差延**（さえん）と**脱構築**が挙げられる。差延は差異性と遅延性とをあわせ持った特性を示すものであり、脱構築はある統一体を解体しながら再構築することを指す。デリダは著書『**グラマトロジーについて**』において従来の言語学における音的なものを極端に重視する音声中心主義を強く批判し、書記としてのエクリチュールの意味の大きさについて論じた。また確固とした印ではない何かの足跡のような痕跡（こんせき）を追うことの重要性も指摘した。

科学

相対性理論

実践日　年　月　日

正答数
／12点

問1

相対性理論について、空欄に入る語句を選択肢から選びなさい。

物理学者（①　　　　　　　　　　）が導き出した公式、「$E=mc^2$」という式において、Eは（②　　　　　）、mは（③　　　）、cは（④　　　）を表している。この式により、静止している物体も（②）を持つという驚くべき概念が得られた。

選択肢

アイザック・ニュートン　アルバート・アインシュタイン　重力　エネルギー　質量　光速度　距離

問2

相対性理論について、空欄に入る語句を選択肢から選びなさい。

相対性理論において様々な物質や概念が提唱された。超高速で動く負の質量を持った想像上の粒子を（①　　　　　）と呼ぶ。光は波であり、水面の波は水の振動、音波は空気の分子の振動であり、振動するものを波の「触媒」と呼ぶ。光の触媒の候補物質として考えられたのが（②　　　　　）である。地球が（②）に対して動くとき、（②）はその方向に収縮するという。これを（③　　　　　　）という。

ポツダム天体物理観測所長のカール・シュヴァルツシルトは、アインシュタインの発表した重力場の方程式を厳密に解いた。もし短い半径の球の中に十分大きな質量が詰まっていれば、ある半径の球を境界にして、内側と外側は、完全に因果を断たれた時空に分離してしまい、時間と空間が入れ替わってしまう。これは（④　　　　）の概念の誕生だった。

一般相対性理論では、エネルギーや質量のある物体が存在すれば、その周りの時空間は（⑤　　　）という理論である。相対性理論の結論においては、時間と（⑥　　　）は互いに（⑦　　　　　）。物質はエネルギーに（⑦）。モノが動くと質量は（⑧　　　　　）。

選択肢

ヒストン　タキオン　エーテル　コンプトン効果　ローレンツ収縮　ビッグバン　ブラックホール
歪む　収縮する　距離　空間　転化する　増大する　入れ替わる

正解／解説・補足

問1　①アルバート・アインシュタイン　②エネルギー　③質量　④光速度

問2　①タキオン　②エーテル　③ローレンツ収縮　④ブラックホール
⑤歪む　⑥空間　⑦転化する　⑧増大する

質量とエネルギーは同じもの

相対性理論の結論とは、**「質量とエネルギーは同じもの」**ということである。この理論が発表される前は、物理学の長い歴史において、質量とエネルギーは別々のものとして扱われてきた。この式**「E=mc²」**は、「小さな質量でも膨大なエネルギーに変化できる」ということを示し、放射線を出す元素を発見した**マリー・キュリー**夫人もこの式の重要性に気がつき驚愕した。この式の発見はその後、人類が原子爆弾の開発へと進んでいく引き金となった。

マリー・キュリー

タキオン粒子とエーテル

アメリカの物理学者**ジェラルド・ファインバーグ**は**タキオン粒子**という、光速よりも速く移動する仮想粒子を提示した。光が波動であるとすると、宇宙空間を移動するには触媒が必要である。イギリスの哲学者ロバート・フックによって、触媒として働く**エーテル**が宇宙空間に充満しているはずだ、と提唱された。現在ではタキオンもエーテルも存在しない、とされつつある。ブラックホールはドイツの天文学者**カール・シュヴァルツシルト**によってその存在が示唆された。

質量によって時空が曲がる

一般相対性理論において、我々の日常から理解しづらいのは、**「重力が強い場所ほど時間の流れが遅くなる」**ということである。相対性理論では、時間と空間はいつも一緒にのびたり、縮んだり、曲がったりする。時間と空間は切っても切れない関係にある。時間と空間を一体とみなして「時空」と呼ぶが、**「質量によって時空が曲がる」**ことを理解するのが相対性理論の理解の入り口となる。

ダーウィンの進化論

実践日　　年　月　日

正答数　／12点

問1

①〜④の人物に対する説明として適切なものをア〜エから選びなさい。

①（　）チャールズ・ダーウィン　②（　）フランシス・ゴルトン
③（　）ジャン＝バティスト・ラマルク　④（　）リチャード・ドーキンス

ア　人間は進化した類人猿であると分類し直した
イ　首の短いキリンは木の葉を食べようとして首が長くなった、とする「用不用説」を提唱した
ウ　人類は、好ましくない精神的、道徳的性質を持つ人々を除去することで完璧にさせることができる、とする「優生学」を提唱した
エ　著書「利己的な遺伝子」で、進化における遺伝子中心の視点を提示した

問2

次の①〜④の用語に対する説明として適切なものをア〜エから選びなさい。

①（　）ミッシングリンク　②（　）性的対立
③（　）トランスポゾン　④（　）共生説

ア　ゲノム上で場所を変えるDNA配列
イ　祖先群と子孫群の中間にあるはずの生物の化石が見つかっていない状況
ウ　ミトコンドリアや葉緑体は、元々別の生物であったものが細胞に取り込まれ、細胞内小器官になったとする説
エ　オス・メス間で、繁殖にかかわる利害が異なることで生じる対立関係

問3

①〜④の「動植物の器官」について、観察によって発見された「学説」を選びなさい。

①（　　　）フィンチのくちばし　②（　　　）エンドウマメのしわ
③（　　　）キリンの首　④（　　　）クジャクの羽

選択肢

メンデルの遺伝の法則　性淘汰　用不用説　適応放散

正解／解説・補足

問1　①ア　②ウ　③イ　④エ

問2　①イ　②エ　③ア　④ウ

問3　①適応放散　②メンデルの遺伝の法則　③用不用説　④性淘汰

用不用説を提唱したフランシス・ゴルトン

フランシス・ゴルトンは、「進化論の父」チャールズ・ダーウィンのいとこにあたる。家畜の品種改良を統計で解析することにより、人間の才能も遺伝によって受け継がれていくと主張。人間にも遺伝子の人為選択を適用すればより良い社会ができると論じた。これはのちのナチスドイツによるユダヤ人の大量虐殺へと進んでいくことになる。

「競争ではなく、共生が進化の原動力」と説いたリン・マーギュリス

動物の細胞内にある**ミトコンドリア**や、植物の細胞内にある**葉緑体**は、独自のDNAを持ち、増殖も独自に行う。また、どちらも二重膜構造を持つが、これはもともと細胞膜を持っていた生物が入り込んだ際に、宿主の細胞膜でコーティングされたためとされる。**リン・マーギュリス**女史は「競争ではなく、共生こそが進化の原動力である重要なプロセスである」と説き、のちに電子顕微鏡の発達やDNAの分析によって、その女性らしい視点が正しかったことが証明された。

生物の「進化」を説いたダーウィン

ガラパゴス島に棲息する鳥のフィンチは、鳥ごとにくちばしが異なっていた。食性とくちばしの関係に気づいた**ダーウィン**は、共通祖先からの「進化」を着想した。

当時支配的だったキリスト教の創造論を全否定したこの説は、以後の思想や哲学に大きな影響を与えた。

チャールズ・ダーウィン

科学

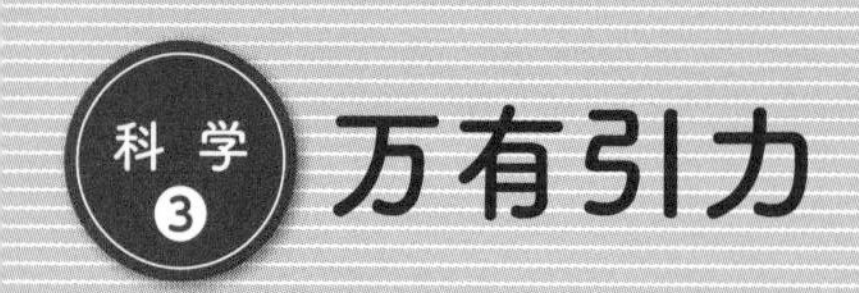

実践日　　年　月　日

正答数
／12点

問1

次の文章の空欄に入る適切な語句を下の選択肢から選びなさい。

自然界には4つの力が存在する。原子核と電子や原子と原子同士を結びつけるものは（①　　　　　　　）である。原子核が壊れないように核子同士をつなぎ止めているものは（②　　　　　　　）。中性子のベータ崩壊を引き起こすものは（③　　　　　　　）。質量をもった物質・エネルギーの間に働いて宇宙の巨視的な構造を支配するものは（④　　）である。

選択肢

強い相互作用／強い力　弱い相互作用／弱い力　重力　電磁相互作用／電磁力

問2

①〜④の人物の主張として適切なものをア〜エから選びなさい。

①（　）ガリレオ・ガリレイ　②（　）アリストテレス
③（　）ヨハネス・ケプラー　④（　）アイザック・ニュートン

ア「すべてのものは、『本来あるべき場所』にもどろうとする。重いものの本来あるべき場所は、宇宙の中心であり、それはすなわち地球の中心である。重いものほどそこへ向かう性質が強いので、より速く下に落ちる」
イ「重い物も軽い物も、本来は同じ速さで落下する」
ウ「すべての物体は万有引力で引き合っている」
エ「万有引力に基づき、惑星の運動の法則が決定する」

問3

①〜④の用語に対する説明として適切なものをア〜エから選びなさい。

①（　）超ひも理論　②（　）超対称性理論
③（　）ダークエネルギー　④（　）ダークマター

ア　ビッグバン後に宇宙の膨張を加速させた正体不明のエネルギー
イ　宇宙を構成する物質の中で、いまだ人類が感知、観測していない物質
ウ　宇宙を構成する素粒子が点ではなく、1次元のひもだとする考え方
エ　素粒子には、2分の1だけスピンの異なるパートナーが存在する

正解／解説・補足

問1　①電磁相互作用／電磁力　②強い相互作用／強い力
③弱い相互作用／弱い力　④重力

問2　①イ　②ア　③エ　④ウ

問3　①ウ　②エ　③ア　④イ

自然界にある4つの力

自然界には４つの力がある。第１の力は**重力**で、我々を大地につなぎ留め、太陽の爆発を防ぎ、太陽系をひとつにまとめている。第２の力は**電磁力**で、街に明かりを灯し、発電機やエンジンを動かし、レーザーやコンピュータの動力源となっている。第３と第４の力は**弱い核力**と**強い核力**で、原子核のまとまりを保ち、天の星を輝かせ、太陽の中心に核の火を生み出している。

アインシュタインが指摘したニュートン力学の欠陥

アインシュタインはニュートンの万有引力の法則には欠陥があると指摘した。例えば、乗ったエレベーターが急上昇すると体が重く感じたり、逆に急下降すると体が軽く感じたりすることがある。ニュートン力学では、これは**「慣性力」**という見かけの力が生じるからだと説明していた。アインシュタインは「慣性力と重力は同じ」と考え、この考えを**「等価原理」**と呼び、これが相対性理論の土台となった。

アルベルト・アインシュタイン

未完の究極の理論「超ひも理論」

超ひも理論（超弦理論）は1980年代から多くの物理学者によって研究が進められている未完成の理論である。自然界（宇宙）を形づくっている、あらゆるものの最小部品を「ひも」だと考える理論である。光も「ひも」であり、重力も「ひも」であるとする、「量子論」と「相対性理論」を統合した究極の理論である。

原子力

実践日　　年　月　日

正答数　／8点

問1

①～④の放射線、放射能に関する用語に対する説明として適切なものをア～エから選びなさい。

①（　）フリーラジカル　②（　）アイソトープ
③（　）エピジェネティクス　④（　）リクビダートル

ア　陽子の数は同じだが、中性子の数が異なる元素
イ　DNAに後天的な化学修飾がなされることにより、塩基配列の変化を伴わずに遺伝子発現が制御される仕組みのこと
ウ　放射線によって生成されることがある他の生体分子を攻撃しやすい分子・原子。それが間接的にタンパク質やDNAを攻撃することがある
エ　チェルノブイリ事故の処理にあたった人たち

問2

①～④の放射線・放射能の単位として適切なものをア～エから選びなさい。

①（　）ベクレル（Bq）
②（　）グレイ（Gy）
③（　）シーベルト（Sv）
④（　）ジュール（J）

ア　人体1kgあたりに吸収された放射線のエネルギー
イ　ある放射性物質のサンプルの毎秒の崩壊数
ウ　放射線があたった物質や人体へのインパクト（被曝線量）
エ　物体が生体である場合の放射線による影響

正解／解説・補足

問1　①ウ　②ア　③イ　④エ

問2　①イ　②ウ　③エ　④ア

60万人が参加したとされるチェルノブイリ原子力発電所の事故処理

リクビダートルとは、チェルノブイリ原子力発電所事故の処理にあたった人たちのことを指す。「後始末する人」の意味である。ピーク時には推定60万人の作業員が参加したとされる。

8段階評価がある「国際原子力事象評価尺度」

原子力事故の評価は世界共通のものさしである「国際原子力事象評価尺度（INES)」を用いてレベル0からレベル7までの8段階で評価を行っている。**スリーマイル島原子力発電所事故**はレベル5。**チェルノブイリ原子力発電所事故**はレベル7。**東海村JCO臨界事故**はレベル4。**福島第一原子力発電所事故**はレベル7とされた。

チェルノブイリ原子力発電所

放射線・放射能の単位にちなむ物理学者たち

ベクレルという単位は、ウランの放射能を発見したフランスの物理学者、**アンリ・ベクレル**にちなむ。グレイという単位は、放射線が生体に与える影響について研究したイギリスの物理学者、ルイス・ハロルド・グレイから、**シーベルト**という単位は、同じく放射線が生体に与える影響について研究したスウェーデンの物理学者、ロルフ・マキシミリアン・シーベルトにちなむ。

アンリ・ベクレル

科学

実践日　　年　月　日

正答数　／10点

問1

①〜④の人物に対する説明として適切なものをア〜エから選びなさい。

①（　）アラン・チューリング　②（　）レイ・カーツワイル
③（　）スティーブン・ホーキング　④（　）アイザック・アシモフ

ア　AI（人工知能）の能力が人類を超える技術的特異点「シンギュラリティ」が2045年に到来すると提唱した。
イ　「人工知能の発明は、人類史上最大の出来事だった。だが同時に「最後」の出来事になってしまう可能性もある」とAIの危険性を説いた。
ウ　ロボットが従うべきとして「ロボット三原則」を提示した。
エ　ある機械が「人間的」かどうかを判定するためのテストを開発した。

問2

人工知能について、空欄に入る語句を選択肢から選びなさい。

人工知能（AI）に関して多くのフューチャリスト（未来学者）がその有用性と危険性を提示している。また、人間の考えや心をソフトウエアで読み取る技術（①　　　　　　　　　）への危険性も多くの研究者が指摘している。近年はたくさんのデータの中から、あるもののパターン(特徴)をコンピュータが自動でつかむ技術(②　　　　　　　　)をAIに習得させつつある。

選択肢

ポストヒューマン　マインドリーディング・テクノロジー　ディープ・ラーニング　不気味の谷　シンギュラリティ

問3

次の①〜④の用語に対する説明として適切なものをア〜エから選びなさい。

①（　）サイボーグ　②（　）ヒューマノイド
③（　）トランスヒューマン　④（　）マニピュレーター

ア　人間型ロボット　イ　仮説上の未来の種　ウ　腕だけのロボット
エ　人や動物などの生き物と(自動制御された)機械が融合したもの

正解／解説・補足

問1 ①エ ②ア ③イ ④ウ

問2 ①マインドリーディング・テクノロジー ②ディープ・ラーニング

問3 ①エ ②ア ③イ ④ウ

アシモフのロボット三原則

アイザック・アシモフの**ロボット三原則**は優先すべき順に、「ロボットは人間に危害を加えてはならない」「ロボットは人間に従わなければならない」「ロボットは自分を守らなければならない」である。

レイ・カーツワイルの予言

シンギュラリティ、すなわち**技術的特異点**のスポークスマンとなったひとりが、発明家にしてベストセラー作家でもある**レイ・カーツワイル**である。カーツワイルの予言では、2029年までに1000ドルのコンピュータの性能は人間の脳の1000倍になる。2045年までに1000ドルのコンピュータの知能は、全人類の合計の10億倍に達する。2045年以後、コンピュータは自分より知能の高いコピーをつくり出し、地球以外の惑星へ進出していく、となる。

マーヴィン・ミンスキーの予言

トランスヒューマンの正体は、エンハンスメント（増強）されたロボットだろうと推測されている。ロボット・テクノロジーが人体に組み込まれる時代はすでに到来している。アメリカのコンピュータ学者、**マーヴィン・ミンスキー**は「ロボットはこの地球を受け継ぐのか？　そうだが、彼らは我々人類の子供たちとなる」と予言している。

アイザック・アシモフ

アラン・チューリング

科学

電磁誘導とファラデーの原理

実践日　　年　月　日

正答数　／8点

問1

①～④の用語に対する説明として適切なものをア～エから選びなさい。

①（　）電磁誘導　②（　）ファラデー効果
③（　）ローレンツ収縮　④（　）コンプトン効果

ア　光が物質を透過するときにその偏光面が回転する現象
イ　物体がエーテルを横切って運動するさいに、物体の長さが変化すること
ウ　コイルなどの閉じた回路に磁石が近づいたり遠ざかったりするさいに、回路に電流が発生する現象
エ　X線を電子に照射すると電子は粒子にはじき飛ばされるようにその方向を変える現象

問2

空欄に入る人物を選択肢から選びなさい。

（①　　　　　　　　　）は、電流と磁力の相互関係による電磁誘導を明らかにした。
（②　　　　　　　　　）は、ファラデーの電磁気の発見を理論化し、電磁場という「場」の概念を提示した。
（③　　　　　　　　　）は、電磁波と相互作用して振動する共鳴子を考えた。
（④　　　　　　　　　）は、光量子仮説を提唱した。

選択肢

アルバート・アインシュタイン　マックス・プランク　マイケル・ファラデー
ジェームズ・クラーク・マクスウェル

正解／解説・補足

問1　①ウ　②ア　③イ　④エ

問2　①マイケル・ファラデー　②ジェームズ・クラーク・マクスウェル
③マックス・プランク　④アルバート・アインシュタイン

大きな欠点があった「光電効果」

アインシュタインの提示した三大理論は、**「光電効果」「ブラウン運動」「相対性理論」**である。このうちの「光電効果」には大きな欠点があった。それは、光が波であるにもかかわらず粒子的な性質を持っていることを証明できなかったことだった。アメリカの物理学者、**アーサー・コンプトン**は電子にX線を照射した結果、X線は波の性質を持つだけでなく粒子的な性質を持つことを発見した。

磁気の変化が電気を起こすことを発見したファラデー

イギリスの物理学者、**ファラデー**は、コイルなどの閉じた回路に磁石が近づいたり遠ざかったりするさいに、回路に電流が発生する現象を発見し**電磁誘導**と呼んだ。1831年の発見時には「磁場」も「磁束（じそく）」もまだ概念として確立していなかったため、ファラデーは**磁力線**という表現を用いた。 磁力線が回路の導線をよぎる(横断する)ときに起電力が発生し、その符号は磁力線の横断方向によって決まる。オランダの物理学者、**ローレンツ**は、電磁場(を支えるエーテル)と電荷（でんか）(電流)の源としての電子の場と粒子の二元論を唱えて**マクスウェル方程式**の解釈を明快なものにし、電磁気現象に対する現代的な視点を導入した。

ファラデーの発見は、やがて世界中の人々の生活を変えることになる発見であった。マクスウェルは、場と物質の間の真の関係を確立した意味で、ファラデーの偉大なプロジェクトを完了させた人物とされている。

電磁場エネルギーを量子化する光量子仮説

プランクのエネルギー量子仮説があくまでも仮想的な共鳴子のエネルギーの量子化であったのに対して、光量子仮説は電磁場のエネルギーの量子化であり、マクスウェルの電磁気学の綻（ほころ）びを示唆（しさ）するものでもあった。

科学

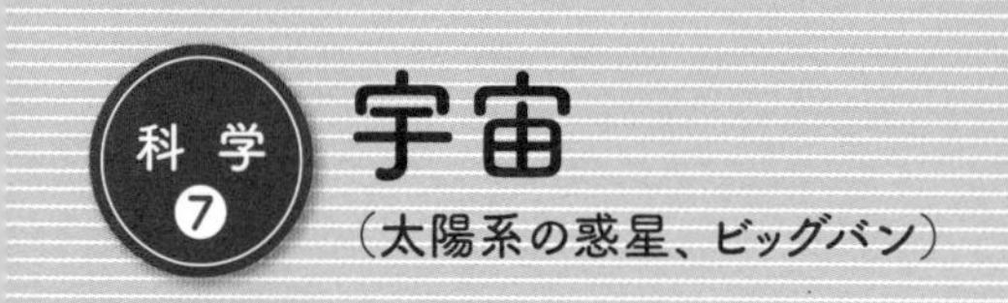

問1

宇宙理論について、空欄に入る語句を選択肢から選びなさい。

宇宙は138億年前にビッグバンによって開闢した。宇宙はごく初期において爆発的な膨張の段階を経た。これを（①　　　　　　　　　　）という。現在の宇宙は今も膨張を続けている。ハッブル宇宙望遠鏡を使っての測定では、宇宙の膨張率は、毎秒毎メガパーセク72キロメートル(72km/sec/Mpc)である。この速度を（②　　　　　　　）という。1パーセクはおよそ3.3光年である。地球に生命が誕生したのは38億年前であるが、最初の生命は宇宙からやってきたとする説（③　　　　　　　　）が一部の研究者から唱えられている。この宇宙は私たちの宇宙に加え、ほかの多くの宇宙も存在する、とされる宇宙観を（④　　　　　　　）という。

選択肢

パンスペルミア説　マルチバース　宇宙のインフレーション　ハッブル定数　プランク定数

問2

宇宙理論について、空欄に入る語句を選択肢から選びなさい。

（①　　　　　　　　　）は、ビッグバンという用語を発明した。
（②　　　　　　　　　）は、一般相対性理論の方程式から宇宙の膨張を初めて導き出した。
（③　　　　　　　　　）は、重力場の方程式を解くことにより、ブラックホールの概念を発見した。
（④　　　　　　　　　）は、ビッグバン後に宇宙の膨張を加速させることになったダークエネルギーを発見した。

選択肢

アルバート・アインシュタイン　カール・シュヴァルツシルト　ソール・パールムッター　フレッド・ホイル

正解／解説・補足

問1　①宇宙のインフレーション　②ハッブル定数　③パンスペルミア説
④マルチバース

問2　①フレッド・ホイル　②アルバート・アインシュタイン
③カール・シュヴァルツシルト　④ソール・パールムッター

宇宙の膨張と「パンスペルミア説」

1929年、アメリカの天文学者、**エドウィン・ハッブル**は、遠くの銀河ほど遠く遠ざかっているのを見つけ、それは宇宙が一様に膨張している事実の証拠にほかならないと主張した。1906年にスウェーデンの物理化学者、**スバンテ・アレニウス**が、他の天体で発生した微生物の胞子のようなものが、隕石や彗星に付着して地上に飛来したという説、**「パンスペルミア説」**を唱えた。

誤りだったアインシュタインの「斥力」

アルバート・アインシュタインが提示したのは「静的」な宇宙モデルであった。つまり、宇宙は膨張も収縮もしないで静止した状態でいる、という見方である。しかし、アインシュタインの理論に従えば、重力の働きにより、星々はやがて一点に集まってしまう。そこでアインシュタインは**「斥力（せきりょく）」**を考え出した。物質間にお互いに斥け合う力が働く、というのだ。その後、ハッブルの発見を受け、アインシュタインは自説の誤りを認め、この斥力のことを「一生の不覚（my worst blunder)」と述べた。

ビッグバンと宇宙の成り立ち

138億年前に**ビッグバン**が発生した。ビッグバンから10^{-36}秒後に宇宙の**インフレーション**が起きた。ビッグバンから10^{-4}秒後に陽子と中性子が誕生。ビッグバンから3分後に原子核が誕生し、ビッグバンから38万年後に宇宙が十分に冷えて、そのため正の電荷を持った原子核と負の電荷を持った電子とが組み合わさって、電気的に中性の原子を形成できるようになった。ビッグバンから3億年後に恒星が誕生。5億年後に銀河が誕生し91億年後に太陽系が誕生した。ビッグバンから100億年後に**ダークエネルギー**が投入されて、宇宙が加速度的に膨張した。

科学

科学 8 DNAと遺伝

実践日　　年　月　日

正答数　／10点

問1

DNAと遺伝について、空欄に入る語句を選択肢から選びなさい。

タンパク質は、（①　　　　）がペプチド結合によってつながったものである。タンパク質は、まず核において遺伝子DNAの塩基配列をメッセンジャーRNAに写し取る（②　　　）、次にリボソームの働きでアミノ酸配列に置き換える（③　　　）、という手順で合成される。このDNA→RNA→タンパク質を生物学の（④　　　　　　　）という。

地球上の生物の遺伝情報は、五炭糖とリン酸、塩基から構成されるヌクレオチドで、（⑤　　　　　　　　）と呼ばれる。細胞分裂期には、この遺伝情報を糸巻きのように巻いたものが観察され、これは（⑥　　　）と呼ばれる。1個体の生物を作るために必要なすべての遺伝情報、すなわち（⑤）の全セットを（⑦　　　）と呼ぶ。遺伝情報はタンパク質の発現で担われるが、ヒトの（⑦）を調べたところ、97％はタンパク質をコード（対応）していなかった。遺伝情報のうち、タンパク質をコードしているものを（⑧　　　）と呼ぶ。

選択肢

リボ核酸　アミノ酸　クローン　翻訳　転写　セントラルドグマ　対立遺伝子理論　デオキシリボ核酸
遺伝子　染色体　ゲノム

問2

DNAと遺伝について、空欄に入る語句を選択肢から選びなさい。

1981年に、未分化な未成熟の細胞から、体の様々な組織に分化する能力を持つ（①　　　　）がつくられた。

2006年に日本の山中伸弥が、分化が終わった成熟細胞に遺伝子導入をすることにより、多能性を持つ細胞を作りだした。彼はこれを（②　　　　）と名付け、ノーベル生理学・医学賞を受賞した。

選択肢

iPS細胞　ES細胞　STAP細胞　クローン動物　トランスジェニック生物

正解／解説・補足

問1　①アミノ酸　②転写　③翻訳　④セントラルドグマ
⑤デオキシリボ核酸（DNA）　⑥染色体　⑦ゲノム　⑧遺伝子

問2　①ES細胞　②iPS細胞

ヒトゲノム・プロジェクトで判明したヒトの遺伝子

セントラルドグマは、イギリスの科学者でDNAの二重らせん構造の発見者である**フランシス・クリック**が1958年に提唱したものである。この概念は地球上のすべての生物、すなわち、細菌からヒトまで、原核生物・真核生物すべてに共通する基本原理である。

2003年に**ヒトゲノム・プロジェクト**が終了した。生殖細胞の持つ染色体のセットをゲノムとする定義では、ヒトゲノムとは**23対の染色体**を構成するDNAの総体である。細胞核にはゲノムが2セットあるので、染色体46本にDNA由来のすべての遺伝情報が入っていることになる。ヒトゲノム・プロジェクトの結果、ヒトの遺伝子は21306個であることが判明し、**CHESS**（Comprehensive Human Expressed Sequences）と名付けられた。

ES細胞とiPS細胞

ES細胞は、受精から胚盤胞が形成される段階で、胚盤胞の内部から分離した幹細胞である。**iPS細胞**は人間の細胞にごく少数の因子を導入して作成される多能性の万能細胞である。ES細胞と違って、胚を使わないため倫理面の問題がなく、さらに自身の細胞からつくるため拒否反応の恐れがなく、再生医療に大きく貢献すると考えられている。

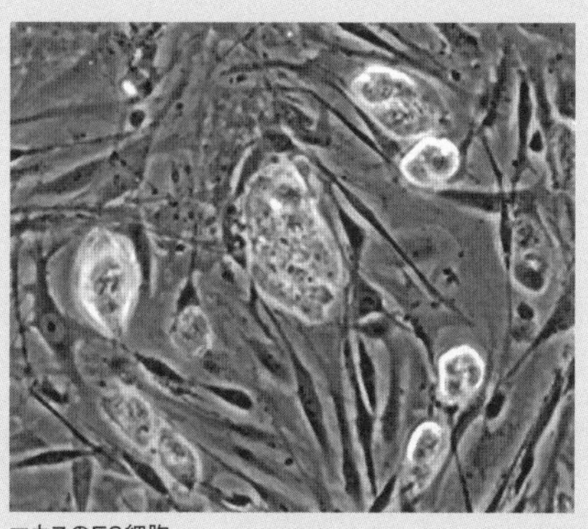

マウスのES細胞

実践日　　年　月　日

正答数　／8点

問1

原子について、空欄に入る語句を選択肢から選びなさい。

（①　　　）は互いに電子を共有したり、電荷で引き合ったりして結合し、化合物をつくる。（①）の化学的挙動は、原子核の陽電荷とその周りにある電子の数によって決まる。原子核には（②　　　　）も存在するが、電気的に中性なので、化学的挙動には影響しない。そこで（③　　　）という概念が導入されることになる。陽子の数は同じだが、中性子の数が違う2つの（①）があるとする。

化学的挙動は陽子の数によって決まるので、この2つの（①）は化学的には同じものとみなすことができ、同じ（③）に属するとされる。このような関係になる複数の（①）を互いに（④　　　　　　　　　　）と呼ぶ。

選択肢

分子　原子　同位体（アイソトープ）　元素　中性子

問2

原子と分子について、空欄に入る語句を選択肢から選びなさい。

（①　　　）は、物質を構成する基本的な粒子である。
（②　　　）は、中性子数にかかわらず、ある特定の陽子数を持つ（①）のグループ粒子である。
（③　　　）は、いくつかの（①）が結びついて一つのまとまりになっている粒子である。
（④　　　）は、（①）または複数の（①）が結合したものが、＋または－の電気を帯びた状態の粒子である。

選択肢

イオン　原子　元素　分子

正解／解説・補足

問1	①原子　②中性子　③元素　④同位体（アイソトープ）
問2	①原子　②元素　③分子　④イオン

原子で構成されているすべての物質

物質が小さい粒子、**アトム（原子）**から構成されているという考えは、紀元前にギリシャの哲学者**デモクリトス**によって提唱されていた。19世紀の初頭にイギリスの化学者、**ジョン・ドルトン**は、化学反応によって化合物が形成されるのは、化合物が原子という微粒子で構成されているからだと主張した。1860年頃から各元素の研究が行われるようになった。

デモクリトス

同じ温度、同じ圧力の条件下で同じ体積になる気体

イタリアの物理学者、**アメデオ・アヴォガドロ**は、同じ温度、同じ圧力の条件下ではどんな気体でも必ず同じ体積になることに気が付いた。例えば水素2グラムの気体の体積は22.4リットル。酸素32グラムの気体の体積も22.4リットルである。オーストリアの化学者、ヨハン・ヨーゼフ・ロシュミットは分子の数を計算し、**6.0×10^{23}個**という数値を導いた。

アメデオ・アヴォガドロ

陽子の数によって決まる原子の性質

原子を分析すると、真ん中に**原子核**があり、その周りを**電子**という小さな粒子がグルグルと回っている。原子核を分析すると、**陽子**と**中性子**という2種類の粒子からできている。

原子の性質は陽子の数によって決まる。陽子がいくつあるのかによって原子番号がつけられていく。この原子番号によって分類されたグループが**元素**と呼ばれる。すべての元素を表にまとめたものが元素の周期表である。

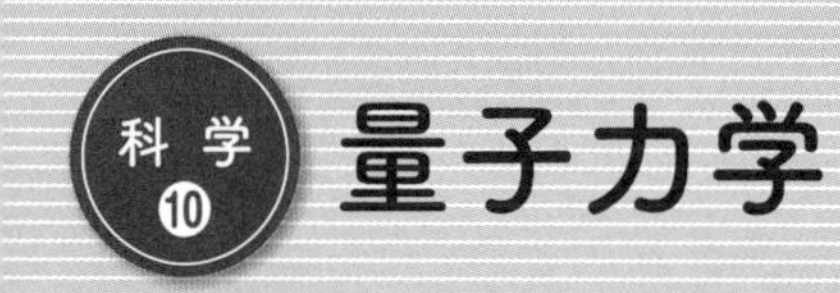

科学⑩ 量子力学

実践日　　年　月　日

正答数　／8点

問1

原子の粒子について、空欄に入る語句を選択肢から選びなさい。

原子は真ん中に原子核があり、電子がそのまわりを回っている。原子核は、陽子と中性子という2種類の粒子からできている。その後、陽子と中性子は3つの（①　　　　）からできていたと判明。電子はレプトンの一種であり、（②　　　　　）もレプトンに含まれる。その後電子とよく似た（③　　　　）、（④　　　　）という粒子も発見された。

選択肢

ニュートリノ　ミューオン　タウオン　クォーク

問2

電子について、空欄に入る語句を選択肢から選びなさい。

デンマークの物理学者、ニールス・ボーアは、原子内の（①　　　）が「不連続な」軌道の上を一気に飛び移ることを示した。フランスの物理学者ルイ・ド・ブロイは、粒子だと考えられてきた（①）も、波の性質を持つとした。しかしこれは、（①）1個が粒子の性質を持ちながら、波の性質「も」持つ、ということになる。この矛盾について、理論物理学者たちの解釈は「（①）は『観察していないとき』は波としてふるまい、『観察しているとき』は粒子としての姿を現す」というものだった。これは（②　　　　　　　）と呼ばれる。アインシュタインはこの考えに猛反発し、「（③　　）はサイコロを振らない」と言って批判した。また、この現象の解釈において、一部の学者は「観察する装置も原子からできているのだから、量子論に従うはずだ。測定結果を人間が脳の中で認識するまで結果は出ない」と批判した。これに対してオーストリアの理論物理学者、エルヴィン・シュレーディンガーは、毒ガス発生装置の中に（④　　　）を入れた場合、その生死は観察者が観察するまで、生きている状態と死んでいる状態が「共存」することになってしまう、と反論をした。この思考実験は「シュレーディンガーの（④）」と呼ばれている。

選択肢

陽子　電子　コンプトン効果　コペンハーゲン解釈　イヌ　ネコ

正解／解説・補足

問1　①クォーク　②ニュートリノ　③ミューオン　④タウオン

問2　①電子　②コペンハーゲン解釈　③神　④ネコ

電磁波の一種である光と振動をする性質を持つ原子や電子

雨上がりの空にかかる七色の虹。これは太陽の光が水滴で屈折してできるものである。光は、ラジオやテレビの放送に使われている電波と同じ、電磁波の一種である。電磁波は電磁場の振動が、水面を伝わる波のように空間を伝わっていくものである。ピンと張って両端を固定した弦（ギター弦も含む）を弾くと、振動が起きる。フランスの物理学者**ルイ・ド・ブロイ**は、原子や電子などのミクロな粒子はこの振動をする性質があることを証明した。

ルイ・ド・ブロイ

12種類の素粒子群の総称が「フェルミオン」

クォークによって陽子や中性子を構成するアップクォーク、ダウンクォークの他に、ストレンジクォーク、チャームクォーク、ボトムクォーク、トップクォークの4種類が発見された。**ニュートリノ**も、電子ニュートリノ、ミューオン・ニュートリノ、タウ・ニュートリノの3種類が発見された。これに、上述の**ミューオン**と**タウ**、そして電子を含めた12種類の素粒子群をまとめて**「フェルミオン」**と呼ぶ。

量子力学における驚異の現象

デンマークの物理学者、**ニールス・ボーア**は「電子の持つエネルギーはとびとびになる」と述べ、この一連の議論の発端となる現象を示した。ボーアはのちに、「量子力学からショックを受けない人は量子力学を理解していない」と述べた。

我々の住むこの世界のミクロの現象においては、物質が同時に2カ所に存在したり、障壁の向こう側にテレポートしたり、並行世界を訪れたり、という不気味な現象が実際に起こっているのである。

人工知能の特異点

2015年に、英ハートフォードシャー大学の研究グループが、感情を持ち、それを表現するロボットを開発したことを発表した。
ロボットの眼につけられたカメラが、人の姿勢、仕草、動きを読み取る。その特定の手がかりを解析して、それに対してロボットが、嬉しく思っているか、悲しく思っているか、恐いと思っているか、などを表示するのだという。2021年現在、ロボットは1歳児程度の感情的なスキルを模倣することに成功した、というのだ。

これは、発明家にしてベストセラー作家でもあるレイ・カーツワイルが2007年に提言した、機械が人間の知能を凌駕する、という「シンギュラリティ（技術的特異点）」の到来を予見させるものである。

2014年、アメリカのニュース雑誌『タイム』で、「人工知能（AI）による人類滅亡を論じる識者5人」に選ばれたジェイムス・バラッドが、著書『人工知能　人類最悪にして最後の発明』（2015年）において述べた主張の骨子をまとめると、「人間と同等の知能を持ったAIが、自己を認識して自己進化する。そのようなAIは、人間の助けを借りずに自ら急激に進化して、人間の知能をはるかに上回る。そして自らの目的達成のために、必然的に人類を絶滅に追いやる」となる。

我々人類は、最先端科学の進歩を称讃・享受しつつ、最大限に警戒しなければならない未来に突き進んでいる。

文学

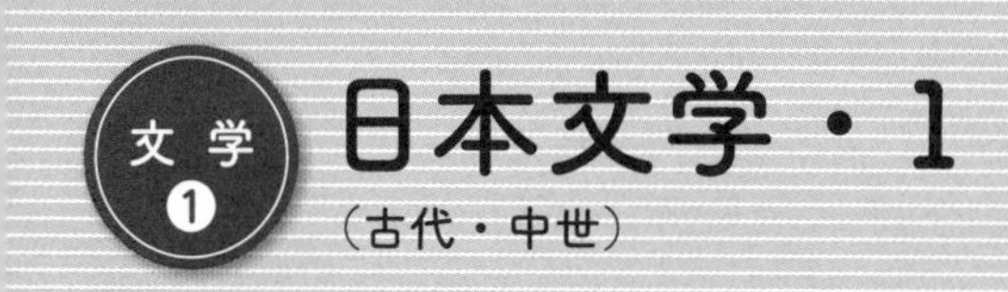

日本文学・1
（古代・中世）

実践日　　　年　　月　　日

正答数　　／7点

問1

古典文学の文頭を読んで、選択肢から『作品名』著者名を選択肢から選びなさい。

（①　　　　　　　　　　）

いづれの御時（おおんとき）にか、女御（にょうご）、更衣（こうい）あまた候（さぶら）ひ給（たま）ひける中に、いとやむごとなき際（きわ）にはあらぬが、すぐれて時めき給ふありけり……

（②　　　　　　　　　　）

祇園精舎（ぎおんしょうじゃ）の鐘の声、諸行無常の響きあり。沙羅双樹（さらそうじゅ）の花の色、盛者必衰（じょうしゃひっすい）の理（ことわり）をあらはす……

（③　　　　　　　　　　）

むかし、おとこ、うゐかぶりして、ならの京かすがの里にしるよしして……

（④　　　　　　　　　　）

男もすなる日記といふものを、女もしてみむとて、するなり……

（⑤　　　　　　　　　　）

あめつち初めてひらけし時、高天原（たかきがはら）に成れる神の名は、天之御中主神（あめのみなかぬしのかみ）……

（⑥　　　　　　　　　　）

春はあけぼの。やうやう白くなりゆく、山ぎは少し明かりて、紫だちたる雲の細くたなびきたる……

（⑦　　　　　　　　　　）

ゆく川の流れは絶えずして、しかも、もとの水にあらず……

選択肢

『枕草子』清少納言　『伊勢物語』作者不詳　『土佐日記』紀貫之　『源氏物語』紫式部
『平家物語』作者不詳　『古事記』太安万侶（編）　『方丈記』鴨長明

正解／解説・補足

問1　①『源氏物語』紫式部　②『平家物語』作者不詳
③『伊勢物語』作者不詳　④『土佐日記』紀貫之
⑤『古事記』太安万侶（編）　⑥『枕草子』清少納言
⑦『方丈記』鴨長明

平安時代から鎌倉時代の日本文学

日本最古の作り物語は『**竹取物語**』である。平安時代の９世紀後半から10世紀前半にかけての成立とされる。平安時代には、歌物語や日記文学のジャンルも生まれ、歌物語の代表が『**伊勢**(いせ)**物語**』で、主人公・在原業平(ありわらのなりひら)の心情を、和歌をふんだんに活かして表現した。

仮名の発達とともに生まれた日記文学の始まりは、紀貫之(きのつらゆき)が男性の漢文による日記から離れ、女性を装い仮名で書いた『**土佐日記**』。この時期は、『**枕草子**』など清少納言が記した日本初の随筆集も生まれている。その清少納言のライバル的存在だった紫式部が著した『**源氏物語**』（1008年頃成立）は、フィクションとしての文学の完成度を高いレベルに引き上げ、現在でも世界的に高い評価を得ている。

鎌倉時代になると軍記物語が流行し、『**平家物語**』はその代表的作品となった。一方、随筆は鎌倉時代に入り、鴨長明(かものちょうめい)の『**方丈記**』、吉田兼好の『**徒然草**(つれづれぐさ)』という傑作が生まれた。

紫式部

吉田兼好

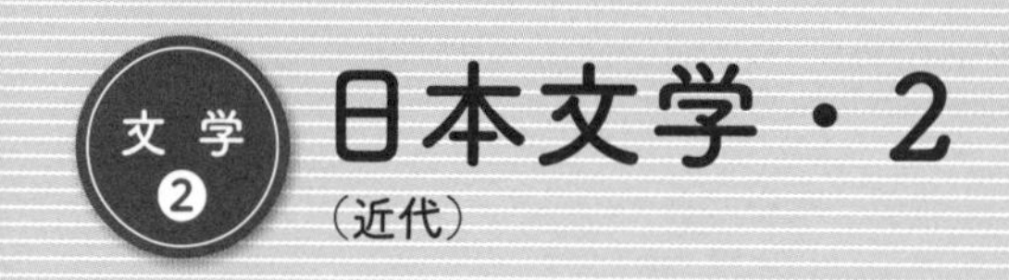

実践日　　年　月　日

正答数
／16点

問1

日本の近代文学について、空欄に入る語句を選択肢から選びなさい。

明治維新以降の日本文学で最初に栄えたのは（①　　　　）である。その代表的な作家が仮名垣魯文であった。明治10年代後半からは、西欧近代文学の影響を受けた文学運動が生まれる。坪内逍遥の文芸評論（②『　　　　』）は、リアリズムの嚆矢となった。これを発展させたのが（③　　　　）の『浮雲』で、（④　　　　）体を用いて近代人を描くことに成功した。明治20年代になると、擬古典主義の文学が栄えた。硯友社の中心だった（⑤　　　　）は代表作『金色夜叉』を残す。硯友社は写実主義を追求したが、日清戦争以降は（⑥　　　）主義が生まれた。その代表的な作家が森鷗外で、ドイツ留学の経験をもとにした（⑦『　　　』）は、近代知識人の自我の芽生えを描いている。明治末期にはフランスの自然主義に影響を受けた（⑧　　　　）の『破戒』や、（⑨　　　　）の『蒲団』などが発表された。

選択肢

浪漫　舞姫　島崎藤村　田山花袋　二葉亭四迷　言文一致　尾崎紅葉　戯作文学　小説神髄

問2

明治末期から大正期、昭和前期の日本文学ついて、略年表の空欄に入る語句を選択肢から選びなさい。

明治38〔1905〕年、（①　　　　）が『吾輩は猫である』を発表。
明治43〔1910〕年、（②　　　　）が『刺青』を発表。耽美派的な立場を取る。
大正7〔1918〕年、新現実主義の立場から（③　　　　）が『地獄変』を発表。
大正15〔1926〕年、関東大震災ののち、モダニズム文学が流行。川端康成が（④『　　　　』）を発表。
昭和4〔1929〕年、大正末期から昭和初期に発展したのが（⑤　　　　）。なかでも（⑥　　　　）の『蟹工船』は時代を超えて読み継がれている。
昭和11〔1936〕年、新心理主義から堀辰雄が（⑦『　　　　』）を発表。

選択肢

芥川龍之介　ブルジョア文学　谷崎潤一郎　プロレタリア文学　小林多喜二　伊豆の踊子
風立ちぬ　夏目漱石

正解／解説・補足

問1　①戯作文学　②小説神髄　③二葉亭四迷　④言文一致　⑤尾崎紅葉
⑥浪漫　⑦舞姫　⑧島崎藤村　⑨田山花袋

問2　①夏目漱石　②谷崎潤一郎　③芥川龍之介　④伊豆の踊子
⑤プロレタリア文学　⑥小林多喜二　⑦風立ちぬ

新しい日本文学が生まれていった明治時代

明治維新とともに日本の新しい文学は始まった。西洋文明が流入するなかでも、主軸は江戸期から続く戯作文学で、仮名垣魯文は『**西洋道中膝栗毛**』『**安愚楽鍋**』といった作品を残した。しかし、明治10年代には小説の改良運動が起こり、勧善懲悪を描く戯作文学を批判する**坪内逍遥**らが登場した。同時に写実主義の動きも起こり、**二葉亭四迷**によって、**言文一致体**で近代人の心理描写を行う文学が、日本にも生まれた。

明治20年代になると、急激な欧米化への反動から復古的な文学が生まれる。擬古典主義である。代表的な作家は尾崎紅葉と幸田露伴。紅葉の代表作は『**金色夜叉**』、露伴の代表作は『**五重塔**』。また、明治28年に終わった日清戦争以降、近代化が急激に進んだ結果、浪漫主義が生まれた。代表的な作家には、**森鷗外**、**泉鏡花**、**国木田独歩**が挙げられる。また、フランスの影響を受けた自然主義文学からは、**島崎藤村**の『**破戒**』や**田山花袋**の『**蒲団**』といった作品が生まれた。

明治末期の夏目漱石の登場から大正、昭和初期

明治末期、猫の視点で人間の世界を描いた**夏目漱石**の『**吾輩は猫である**』は、近代における個人と社会の問題を追求した。大正期に入り、『こころ』『道草』といった傑作を残した漱石に対し、**森鷗外**も『**阿部一族**』などの代表作を記す。耽美派は**谷崎潤一郎**と**永井荷風**が牽引し、谷崎は『**刺青**』『**痴人の愛**』といった傑作を残している。

大正末期に現われたのが新現実主義で、その代表的存在が芥川龍之介。島崎藤村や田山花袋らの自然主義文学も命脈を保ち続けた。大正末期はプロレタリア文学が興り、昭和期になると、小林多喜二の『蟹工船』などの傑作が生まれた。

実践日　　年　月　日

正答数　　／8点

問1

古代ギリシャの叙事詩について、正しいものは○、誤っているものには×を付けなさい。

（　）① 古代ギリシャ文学の代表作は紀元前８世紀頃に、ギリシャ神話をもとに描かれたホメロスによる叙事詩群であり、これらは現存する最も古いギリシャ詩作品である。

（　）② ホメロスの代表作は『イリアス』『オデュッセイア』といった長文叙事詩であった。『イリアス』はなかでも最古の作品とされ、トロイア戦争について語られている。『オデュッセイア』は『イリアス』の続編に当たる。

（　）③ 紀元前700年頃には、叙事詩人のヘロドトスが、『神統記』『労働と日々』といった代表作を残した。

問2

ギリシャの演劇について、空欄に入る語句を選択肢から選びなさい。

紀元前５世紀頃からギリシャのアテナイでは演劇が発達し、多くの劇作家が生まれて新しい文化が栄えた。なかでも有名だったは、（①　　　　　　）、ソポクレス、エウリピデスの（②　　　　　　）だった。

（①）の代表作は、トロイア戦争のギリシャ軍の総大将を題材にした（③『　　　　　　』）であり、ソポクレスの代表作は『オイディプス王』。こうした悲劇詩人のほかに、喜劇作家の（④　　　　　　）も活躍した。パロディ精神豊かな（④）の代表作には（⑤『　　　　　　』）がある。こういった悲劇詩人、喜劇作家が中心となって、アテナイにおける文学の黄金期を築き上げていった。

選択肢

女の平和　アガメムノン　アリストパネス　三大悲劇詩人　アイスキュロス

正解／解説・補足

問1　①○　②○　③×ヘロドトス→ヘシオドス

問2　①アイスキュロス　②三大悲劇詩人　③アガメムノン　④アリストパネス　⑤女の平和

古代ギリシャの代表的詩人、ホメロスとヘシオドス

ホメロス

古代ギリシャの本格的な文学の誕生は**ホメロス**とともにある。紀元前8世紀頃、ホメロスは叙事詩（じょじし）によってギリシャの歴史を語り、トロイア戦争（紀元前1700年～紀元前1200年頃）を題材にした『**イリアス**』は、最古にして最高の長編叙事詩とされ、歴史資料としても貴重な価値を持つ。

ホメロスとほぼ同時代人の古代ギリシャには、**ヘシオドス**という優れた詩人もいた。代表作は『**神統記**』『**労働と日々**』で、牧歌的な、平和を好む叙事詩だった。

三大悲劇詩人、アイスキュロス、ソポクレス、エウリピデス

ギリシャ文学は、紀元前5世紀以降になると、大衆の娯楽として演劇が発展。その中で人気を呼んだのは、三大悲劇詩人とされる**アイスキュロス**、**ソポクレス**、**エウリピデス**だった。エウリピデスの代表作は『**メデイア**』。ギリシャ悲劇で最も有名な作品は『**オイディプス王**』だろう。知らずに父親を殺し、母親を妻にしてしまったオイディプス王は、真実を知って自らの目を潰し去っていく。この物語を、20世紀に入って、フロイトが精神分析で**エディプスコンプレックス**として論じた。

オイディプスとスフィンクス

文学

イギリス文学

実践日　　年　月　日

正答数
／10点

問1

シェークスピア作品のセリフから、その作品名を選択肢から選びなさい。

①「輝くもの、必ずしも金ならず」（　　　　　　　　）
②「邪推にはもともと毒がひそんでいる」（　　　　　　　　）
③「人生は歩く影法師。哀れな役者だ」（　　　　　　　　）
④「生きるべきか死ぬべきか。それが問題だ」（　　　　　　　　）
⑤「ああロミオ。どうしてあなたはロミオなの」（　　　　　　　　）
⑥「馬だ、馬をくれ。代わりにこの国をやるぞ」（　　　　　　　　）

選択肢

『ハムレット』　『ロミオとジュリエット』　『リチャード三世』　『ヴェニスの商人』　『オセロ』　『マクベス』

問2

19～20世紀のイギリスの文学者について、正しいものは○、誤っているものには×をつけよ。

（　）① 19世紀半ばのイギリス文学の代表者、ジェイムズ・ジョイスの『不思議の国のアリス』は、多様な言語実験と、巧みな風刺、ユーモア、パロディによって評判となり、世界中で翻訳された。

（　）② 19世紀末期には多くの優れた文学者を生んだ。ロバート・ルイス・スティーヴンソンは多重人格をテーマにした『24人のビリー・ミリガン』を書き、フロイトらの精神分析にも大きな影響を与えた。

（　）③ 19世紀末に生まれたD．H．ロレンスは、人間の本質を恋愛と性に求め、『チャタレイ夫人の恋人』を書いた。露骨な性描写を含んでいたため、日本では発禁処分にまでなった。

（　）④ 唯美主義や芸術至上主義の立場には詩人で小説家のオスカー・ワイルドがいた。小説『ドリアン・グレイの肖像』、戯曲『サロメ』などを書き、日本の谷崎潤一郎らに影響を与えた。

正解／解説・補足

問1 ①『ヴェニスの商人』 ②『オセロ』 ③『マクベス』 ④『ハムレット』
⑤『ロミオとジュリエット』 ⑥『リチャード三世』

問2 ①× ジェイムズ・ジョイス→ルイス・キャロル
②×『24人のビリー・ミリガン』→『ジキル博士とハイド氏』 ③○ ④○

イギリスの文学、演劇を発展させたシェークスピア

文化的に、イギリスは15世紀頃まではヨーロッパの二流国だったが、1564年にシェークスピアが生まれてから、文学、演劇は栄えた。そして、テューダー朝のエリザベス1世のもと、イギリス艦隊がスペインの無敵艦隊を破る（1588年）など国家も繁栄し、一流国家として黄金時代を迎えた。この時期の劇作家がシェークスピアである。

シェークスピア

シェークスピアは、四大悲劇**『ハムレット』『オセロ』『マクベス』『リア王』**をはじめ、喜劇の**『ヴェニスの商人』『夏の夜の夢』**、史劇の**『リチャード三世』**など多種多様な名作を残した。現代でも必須教養とされるほどの名言が、シェークスピアの作品には多数ある。

19～20世紀のイギリス文学

『不思議な国のアリス』は**ルイス・キャロル**の作品。**『ジキル博士とハイド氏』**は、二重人格をテーマにした。**『チャタレイ夫人の恋人』**は、日本では猥褻（わいせつ）文書の是非（ぜひ）を問う「チャタレイ裁判」（1950年）にまで発展した。

19世紀後半から20世紀初頭にかけて、イギリスでは、**コナン・ドイル**の**『シャーロック・ホームズ』**シリーズが大ヒットしている。

コナン・ドイル

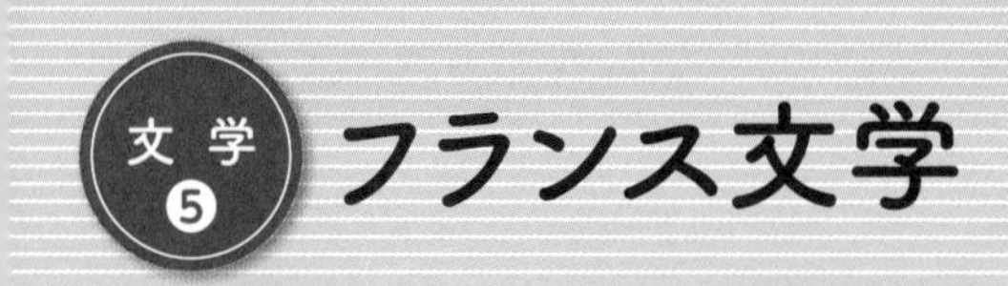

実践日　　年　月　日

正答数
／10点

問1

19世紀のフランス文学について、空欄に入る語句を選択肢から選びなさい。

19世紀はフランス文学繚乱の時代だった。多くの文芸思潮が栄えたが、その代表はロマン主義の（①　　　　）の『レ・ミゼラブル』である。写実主義のスタンダールも19世紀フランスが生んだ巨人で、(②『　　　　』)はその代表作。フローベールの（③『　　　　　　　』）も世界文学史に残る傑作であるが、公衆の道徳と宗教に対する侮辱として裁判になった。

自然主義の立場からは、(④　　　　　　　）が、『女の一生』を残した。一方、象徴主義の影響を受けた詩人も多く輩出し、ボードレール、ヴェルレーヌ、マラルメに加え『地獄の季節』を書いた（⑤　　　　）は最も有名である。

選択肢

モーパッサン　ランボー　ゴーティエ　ユゴー　赤と黒　ゴリオ爺さん　ボヴァリー夫人

問2

20世紀のフランス文学について、正しいものは○、誤っているものには×をつけよ。

(　) ① プルーストの『失われた記憶を求めて』は、その独特な文体と重層的な時間表現といった意味において20世紀最大の文学と言われる。

(　) ② 「本当に大事なものは目に見えない」という名セリフを残した『星の王子さま』は、サン・テグジュペリの代表作である。

(　) ③ 愛と信仰の相克を描いた『広き門』は、アンドレ・ジイドの代表作である。

(　) ④ 実存主義の哲学者でもあるサルトルは、『嘔吐』といった、人間の実存にまつわる小説も残した。

(　) ⑤ 不条理文学の代表者であるカミュは、『異邦人』『ペスト』によって、人間の精神不安の姿を描いた。

正解／解説・補足

問1　①ユゴー　②赤と黒　③ボヴァリー夫人　④モーパッサン　⑤ランボー

問2　①×『失われた記憶を求めて』→『失われた時を求めて』
②○　③×『広き門』→『狭き門』　④○　⑤○

世界最高レベルにあった19世紀のフランス文学

フランス文学が世界最高峰のレベルに達したのは19世紀で、ロマン主義の代表は**ユゴー**の**『レ・ミゼラブル』**。人間の生き方を客観的に描いた写実主義では、**スタンダール**の**『赤と黒』**が最高傑作とされる。赤は軍服、黒は僧服を意味した。写実主義を継承しながら社会の矛盾を突いた自然主義では、**モーパッサン**、そして、**『ナナ』『居酒屋』**のゾラがいる。詩の分野では象徴主義的な傑作が相次いで生まれた。**ボードレール**は**『悪の華』**を残し、**ランボー**は**『地獄の季節』**を残したあと、詩人から武器商人になった。

ユゴー

20世紀フランスの文学者と作品

プルーストの**『失われた時を求めて』**は、時間と記憶がテーマになっており、作品全体も膨大な長さを誇る。**サン・テグジュペリ**は、他に『夜間飛行』といった代表作がある。『狭き門』は、聖書の「狭き門より入れ」に基づく作品。**サルトル**は、実存主義の哲学者で、作家でもあった。長編小説**『嘔吐（おうと）』**では、存在の無意味さに気づき、嘔吐する主人公を描いた。

カミュは、**『異邦人』**で、母の死を悲しまなかった主人公が「太陽がまぶしかった」せいで殺人を犯し、死刑判決を受けるという、人間の不条理さを描いた。

サルトル

文学6 ドイツ文学

実践日　　年　月　日

正答数　　／12点

問1

ドイツ文学について、空欄に入る語句を選択肢から選びなさい。

ドイツは文学の発展が遅かった。本格的な発展は、18世紀の啓蒙主義に反発して若者たちが起こした文学運動（①　　　　　　　　　）である。日本語で「疾風怒濤」とも訳されるこの運動からは、代表的な文学者を生んだ。一人は『若きウェルテルの悩み』で若者たちの絶対的支持を受けた（②　　　）であった。一方、（③　　　）は、初期の戯曲『（④　　）』で、反抗する若者の姿を描き、評判になった。

選択肢

シラー　群盗　ファウスト　シュトゥルム・ウント・ドランク　ゲーテ

問2

ドイツ文学について、空欄に入る語句を選択肢から選びなさい。

19世紀末、フランス象徴主義の影響から（①　　　　　　　　）や（②　　　）といった詩人・小説家が生まれた。（①）も（②）もオーストリア生まれ。ウイーンで世紀末芸術の影響を受けた。（①）は近代批評の先駆けと言われる『チャンドス卿の手紙』を発表。（②）は小説（『③　　　　　　』）などを残した。一方、19世紀末から20世紀にかけて多くの小説家が生まれた。その代表は（④　　　　　　　）。芸術家や市民階級の理性と情熱の相克を貫く大きなテーマを『ヴェニスに死す』や（『⑤　　　』）などで表現した。（⑥　　　　　　　）は市民社会における人間性をテーマに『車輪の下』や『デミアン』を発表した。このほかドイツ文化圏から偉大な作家が生まれる。チェコのプラハ出身の（⑦　　　）である。朝目覚めたら巨大な毒虫になっていた実存主義文学の傑作（『⑧　　』）のほか『城』『審判』などの傑作を残す。

選択肢

トーマス・マン　魔の山　ヘルマン・ヘッセ　カフカ　ブレヒト　ホフマンスタール　リルケ　マルテの手記　変身　レマルク

正解／解説・補足

問1　①シュトゥルム・ウント・ドランク　②ゲーテ　③シラー　④群盗

問2　①ホフマンスタール　②リルケ　③マルテの手記　④トーマス・マン
⑤魔の山　⑥ヘルマン・ヘッセ　⑦カフカ　⑧変身

18世紀のドイツ文学を代表するゲーテとシラー

ドイツ文学とは、歴史的にドイツだけでなくオーストリアやチェコ、スイスといったドイツ語文化圏の文学すべてを指す。だが、18世紀の**シュトゥルム・ウント・ドランク**の時代は、ドイツ本国が中心だった。この文学運動は同時代の啓蒙主義に反発した反抗の文学だった。その代表作は**ゲーテ**の『**若きウェルテルの悩み**』。激情に任せて生きる主人公の生き方は同時代の若者に多くの影響を与えた。同時期の作家、**シラー**は、『**群盗**』でその名を歴史に残した。ゲーテもシラーもすぐに古典主義へ回帰し、ロマン主義へも向かうが、こうした過程のなか、ゲーテはさらなる代表作『**ファウスト**』を残す。

ゲーテ

19世紀末から20世紀のドイツ文学

美術において19世紀、フランスの後塵を拝したドイツは、フランスで生まれた美術も含む文芸運動である象徴主義の影響を受けて、**ホフマンスタール**や**リルケ**といった詩人兼小説家を生んだ。その代表的作家は**トーマス・マン**である。長編から短編まで秀作揃いの彼の代表作には『**ヴェニスに死す**』『**魔の山**』などがある。**ヘルマン・ヘッセ**は、自らの挫折経験をもとに書いた『**車輪の下**』でその名を高めた。一方、チェコのプラハでは**カフカ**を輩出する。ユダヤ人の彼は大学卒業後、保険局員として働きながら執筆を行う。代表作『**変身**』は、朝目覚めると巨大な毒虫になっているという不条理な作品である。その文学は生前、ほとんど評価されなかったが、現代では20世紀文学史上、最も重要な作家の一人とされている。

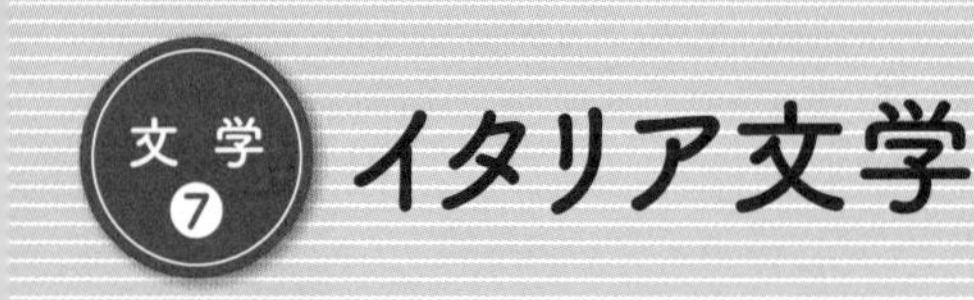

実践日　　年　月　日

正答数

／12点

問1

イタリア文学について、空欄に入る語句を選択肢から選びなさい。

紀元前1世紀、ラテン文学史上最大の詩人ウェルギリウスを生んだイタリア。イタリア文学の新たな始まりの象徴は、中世13世紀ごろから盛んになった14行詩である（①　　　　）である。ここから（②　　　　）たちが多く生まれる。（②）の代表詩人はペトラルカである。一方、13世紀後半、イタリアは最も偉大な詩人（③　　　）を輩出する。彼の最大の代表作は『（④　　）』である。同作はゴシックの時代に書かれた三行韻詩から成る長編叙事詩で、世界文学史上でも稀有な傑作である。作品は地獄篇、（⑤　　　）、天国篇の3部から成り、（③）自身を主人公とする一人称で書かれている。主人公は地獄から天国までの間をさまようが、そこでウェルギリウスなど、実在した人物を含めさまざまな人物と遭遇する。その中でも、（③）が実際に幼少の頃に出会い心惹かれた美少女（⑥　　　　　　）は作品のカギを握る存在になる。

一方、14世紀になると（⑦　　　　　）がペストの感染を避けてきた人々に100の物語を語らせる『（⑧　　　　）』を発表する。同作には、キリスト教的価値観などにこだわらない人間中心主義的な挿話も多く、（⑨　　　　）の萌芽が見られる。

選択肢

ベアトリーチェ　ボッカチオ　デカメロン　ルネサンス　ソネット　吟遊詩人　ダンテ　神曲　煉獄篇

問2

イタリア文学について、正しいものは○、誤ったものは×を付けなさい。

（　）①14～15世紀頃からイタリアでルネサンスが生まれ、多くの芸術家が輩出されたが、文学の面では美術ほど世界的巨匠は生まれなかった。

（　）②16世紀半ば頃からイタリアでマニエリスム、またバロックの美術様式が生まれたが、文学の面では美術ほど世界的巨匠は生まれなかった。

（　）③19世紀後半から20世紀前半にかけて活躍した作家にダヌンツィオがいる。作家・劇作家の彼は、反ファシズムの思想家としても有名である。

正解／解説・補足

(問1) ①ソネット　②吟遊詩人　③ダンテ　④神曲　⑤煉獄篇　⑥ベアトリーチェ　⑦ボッカチオ　⑧デカメロン　⑨ルネサンス

(問2) ①○　②○　③×反ファシズム→ファシズム

イタリアを代表する作家、ダンテとボッカチオの登場

紀元前1世紀から1世紀頃のローマでは、ラテン語による詩人が生まれた。共和制から帝政ローマの時代の後、イタリア文学が復興するまで長い時間を要する。13世紀頃からようやく14行詩であるソネットが流行した。13世紀から14世紀に活躍した詩人に**ダンテ・アリギエーリ**がいる。ダンテは『**新生**』などの作品を残したのち、代表作にしてイタリア古典文学の頂点ともいえる『**神曲**』を発表する。同作は、ダンテ自身が主人公として、前述の古代ローマの詩人ウェルギリウスらとともに地獄から煉獄、そして天国を旅する一大叙事詩である。14世紀のゴシック末期には、**ボッカチオ**という作家が生まれる。代表作は、1353年の『**デカメロン**』。ペストから逃れた10人が10日間、10話ずつ聞かせるという百物語である。内容は滑稽（こっけい）なものから好色、皮肉まじりなど自由闊達で、キリスト教的束縛から解き放たれた人間性の強い作品でルネサンスの萌芽がすでに見られる。

ダンテ・アリギエーリ

イタリアの文学的空白とダヌンツィオの登場

イタリアはルネサンスの芸術家に比べれば知名度もその功績も下と言わざるをえない。16世紀の宗教改革のなか、反宗教改革の流れは禁欲的な思想（宗教裁判の統制など）へとつながり、自由な思想での文学表現ができなかったのがイタリアの文学的空白につながっているという意見がある。一方、イタリアは1860年代に近代国家として統一され、この前後に文学運動も見られるようになる。19世紀に生まれた作家の代表的人物は**ダヌンツィオ**である。彼の作風は**デカダンス**というべき退廃的な美であり、その代表作も『**死の勝利**』などである。ただし彼の思想はファシズムの先駆と言われており、民主主義を否定し、植民地主義を支持していた。

文学

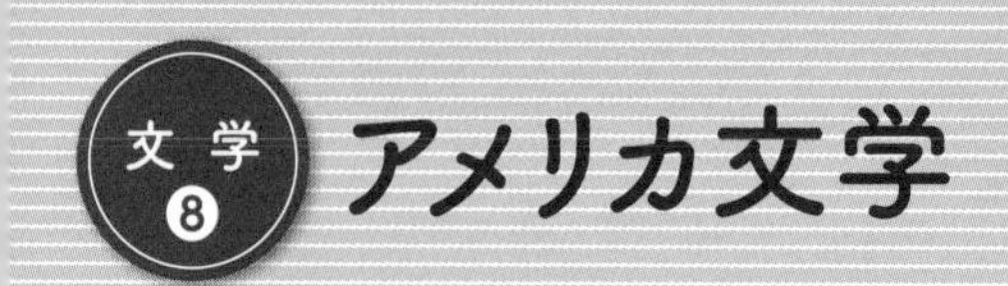

実践日　年　月　日

正答数　／9点

問1

19世紀のアメリカ文学の年表で空欄に入る語句を選択肢から選びなさい。

1776年　アメリカ独立
1841年　（①　　）が『モルグ街の殺人』を発表
1851年　（②　　　）が奴隷制度廃止運動にかかわる『アンクル・トムの小屋』を発表。また（③　　　　）が『白鯨』を発表
1861年　南北戦争始まる（1865年終結）
1885年　マーク・トウェインが『（④　　　　　　　　　　　）』を発表。
1903年　オー・ヘンリーが『最後の一葉』などの短編小説で活躍

選択肢

ホイットマン　ハックルベリー・フィンの冒険　ねじの回転　ポー　緋文字　ストウ　メルヴィル　ソロー

問2

20世紀のアメリカ文学について、空欄に入る語句を選択肢から選びなさい。

20世紀のアメリカ文学は多くの作家が活躍し、世界にその存在を見せつけた。（①　　　　　　　）は、シンプルな文体で戦争や大魚との戦いなどを描いた。代表作は反戦小説の『武器よさらば』や『日はまた昇る』『誰がために鐘は鳴る』、そして『（②　　　　）』である。

1929年に起きた世界恐慌はアメリカ文学にも少なからぬ影響を与えた。それ以降の文学には『怒りの葡萄』や『エデンの東』などを書いた（③　　　　）のように、物質的または精神的に貧しい家庭を中心に描く作品が見られた。この他、ヘンリー・ミラーのような作家もいる。第二次世界大戦後には、サリンジャーの『（④　　　　　　　　）』やナボコフの『（⑤　　　　）』のような移民作家の作品の傑作も見られた。

選択肢

響きと怒り　スタインベック　ライ麦畑でつかまえて　ロリータ　ヘミングウェイ　老人と海　フォークナー

正解／解説・補足

問1 ①ポー ②ストウ ③メルヴィル ④ハックルベリー・フィンの冒険

問2 ①ヘミングウェイ ②老人と海 ③スタインベック
④ライ麦畑でつかまえて ⑤ロリータ

独立後に発展したアメリカ文学

アメリカ文学はアメリカ独立後の19世紀に発展した。19世紀初頭の作家**エドガー・アラン・ポー**は1841年に初の推理小説**『モルグ街の殺人』**で高い評価を受けた。**ホーソン**は、不義の子を生み社会から迫害される女性を描いた**『緋文字』**によって、ピューリタン社会の問題を追及した名作を残す。奴隷制度のあった南北戦争の前には、**ストウ**によって黒人差別の問題を描いた**『アンクル・トムの小屋』**が発表された。

マーク・トウェイン

19世紀後半には**マーク・トウェイン**が、地方で自由に生きる少年少女の姿を描いた**『ハックルベリー・フィンの冒険』**を発表。

傑作を生み出した20世紀のアメリカ文学

ヘミングウェイは、ハードボイルド的な感情を排した客観的で硬質な文体を特徴とする。この文体で、第一次世界大戦の体験に基づく**『武器よさらば』『日はまた昇る』『誰がために鐘は鳴る』**などの傑作を残した。最大の代表作は老人とカジキの戦いを描いた『老人と海』。フィッツジェラルドは1925年に**『グレートギャツビー』**を発表する。禁酒法時代に富を得たギャツビーと、語り手ニックらの物語は、失われた世代の代表作として知られる。

フォークナーはアメリカの作家としては珍しく、意識の流れや時間の順序をばらばらにするなど、実験的手法を駆使して独特の地位を築いた。1930年頃には**スタインベック**が現われ、**『怒りの葡萄』**で貧困労働者を描いたり、**『エデンの東』**で旧約聖書をもとにした家族の葛藤を描くなど独自の路線を開拓した。

ヘミングウェイ

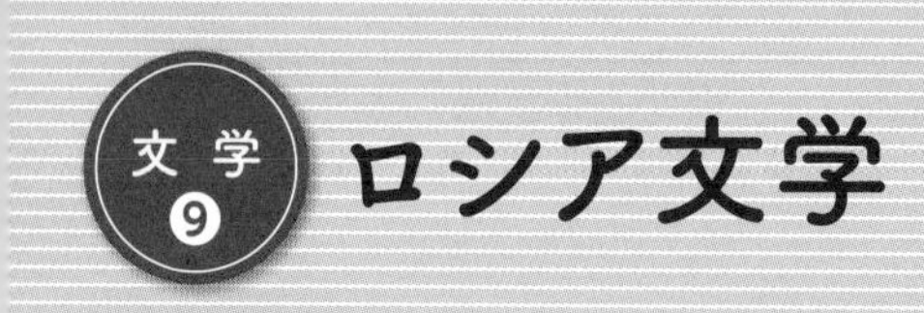

文学⑨ ロシア文学

実践日　年　月　日

正答数　／11点

問1

19世紀のロシア文学について、空欄に入る語句を選択肢から選びなさい。

　ロシア近代文学最初期の代表的作家は（①　　　　　）であった。彼は韻文小説『エヴゲーニイ・オネーギン』を1825年から1832年にかけて発表する。この後、ロシアからは偉大な作家が次々に輩出され、黄金時代が到来する。まず小説家・劇作家でもあった（②　　　　　）である。1842年に下級役人の悲哀をリアルに描いた『（③　　）』などが挙げられる。ゴンチャロフは1859年に、無為徒食で文字通りの独身貴族を描いた『（④　　　　　）』を発表。地主階級だった（⑤　　　　　）は、農奴制の矛盾を描いた『猟人日記』を1852年に発表。このほか、『初恋』や『父と子』といった秀作を残した。やがて世界文学を代表する（⑥　　　　　　　）が1866年に『罪と罰』を発表する。彼と並び称される（⑦　　　　　）が1965年から1869年にかけて『戦争と平和』を発表する。

選択肢

ツルゲーネフ　ドストエフスキー　トルストイ　チェーホフ　桜の園　ロマン主義　プーシキン　ゴーゴリ
外套　オブローモフ

問2

ドストエフスキーとトルストイについて、正しいものは○、誤っているものには×を付けなさい。

（　）①ドストエフスキーの初期の代表作は『罪と罰』である。独自の理論で老婆を殺した主人公の冷徹な内面を徹底したリアリズムで描き、罪を背負った者には救済がないことを示した。

（　）②ドストエフスキー晩年の代表作『カラマーゾフの兄弟』は、多様な登場人物が多様な意見（声）を主張するポリフォニー的な作品である。最終的には神のごとき著者の存在で１つの結論が導き出される。

（　）③ドストエフスキーの代表作としては『貧しき人びと』『白痴』『悪霊』『地下室の手記』などもある。

（　）④トルストイはルソーの影響を強く受けた非暴力・人道主義者の面を持つ作家である。その代表作はナポレオン戦争のなか、登場人物が生の意味などを見出していく『戦争と平和』である。

正解／解説・補足

問1　①プーシキン　②ゴーゴリ　③外套　④オブローモフ　⑤ツルゲーネフ
⑥ドストエフスキー　⑦トルストイ

問2　①×　②×　③○　④○

19世紀ロシアに登場した偉大な文学者たち

近代ロシア文学の誕生は遅く、19世紀に入ってからだが、次々と偉大な文学者が生まれた。**プーシキン**の**『エヴゲーニイ・オネーギン』**は現代ロシア語によって、当時のロシア人の生活を描いた画期的作品。**ゴーゴリ**は、腐敗した官僚制度や農奴制社会の現実をリアルに描き、ドストエフスキーといった後世のロシア人作家に大きな影響を与えた。そのゴーゴリの代表作は、**『検察官』『死せる魂』『狂人日記』**、そして**『外套（がいとう）』**である。**ツルゲーネフ**は地主階級で、自身が見た農奴の悲惨な生活をリアルに描いた**『猟人日記』**を発表。しかし、これが政府批判と取られ投獄される。だが同作はのちの農奴解放に大きな役割を果たした。このように貧困と封建制に苦しむ民衆に社会改革の必要と生きる意味を伝えていった文学者の功績は大きい。

19世紀後半に入ると、ロシアは2人の巨人を生み出す。**ドストエフスキー**と**トルストイ**である。19世紀末期には小説家・劇作家としてチェーホフが傑作を残す。小説家としては**『カメレオン』『かわいい女』**などユーモアあふれる作品を残し、劇作家としては**『桜の園』**などの四大戯曲を残す。こうして時代は20世紀を迎え、帝政ロシアも終焉へと向かっていく。

ドストエフスキー

トルストイ

文学⑩ 中国文学

実践日　　年　月　日

正答数　　／13点

問1

唐以降の漢詩の歴史について、正しいものは○、誤っているものには×を付けなさい。

（　）①「春暁」で有名な8世紀唐の詩人・王維は、山水・田園詩の代表的作者として現代でも高い人気を誇る。

（　）②「詩仙」とも言われる8世紀、盛唐を代表する詩人・杜甫は絶句と古詩を得意とし、「静夜思」や「月下の独酌」などの代表作を残した。

（　）③「詩聖」とも言われる8世紀、盛唐を代表する詩人・李白は社会に対して深い関心を持ち続け、世の矛盾を突いた作品を残した。

（　）④中唐を代表する詩人に韓愈と柳宗元がいる。ともに8世紀末から9世紀前半に活躍したが、韓愈が儒教復興を目指したのに対し、柳宗元は山水詩の代表的詩人として活躍した。

問2

中国の小説について、空欄に入る語句を選択肢から選びなさい。（※②～⑤は順不同）

中国の小説の歴史は意外に古く、古くは紀元前の『荘子』にもその記述がある。六朝（紀元222～589年）の時代には「怪異を記す」志怪小説も編集された。唐代には、より発展して（①　　　　）が生まれた。『枕中記』はその代表である。その後、明代にようやく小説が成熟期を迎えた。とくに四大奇書と呼ばれる作品群は、現在でも有名である。『（②　　　）』『（③　　　　　）』『（④　　　）』『（⑤　　　）』である。やがて、清代に入って18世紀中頃、曹雪芹によって『（⑥　　　）』という世界的な文学が誕生した。貴公子と2人の少女との恋愛を繊細に描いた作品で、中国の『源氏物語』とされる。この他、清代には『儒林外史』があった。これらは話し言葉による、いわゆる（⑦　　　　）であった。また清代前期には女霊と関係を持つ『聊斎志異』といった怪異文学もあった。

20世紀に入って清国が滅びると、1917年、『新青年』を中心に文学革命が起こり、近代文学が生まれた。（⑧　　）の『狂人日記』や『（⑨　　　　）』はその代表である。

選択肢

西遊記　金瓶梅　紅楼夢　白話小説　魯迅　阿Q正伝　伝奇小説　水滸伝　三国志演義

正解／解説・補足

問1　①×　②×　③×　④○

問2　①伝奇小説　②水滸伝　③三国志演義　④西遊記　⑤金瓶梅　⑥紅楼夢　⑦白話小説　⑧魯迅　⑨阿Q正伝

中国・唐の時代の詩人たち

孟浩然

孟浩然（もうこうねん）の**「春眠暁を覚えず」**（しゅんみんあかつきをおぼえず）は誰もが耳にしたことがあるはずだ。王維（おうい）もまた孟浩然とほぼ同時代で同じ山水・田園詩人である。

白楽天とも言う**白居易**（はくきょい）は8世紀末から9世紀前半の中唐の詩人。平易な表現は中国だけでなく朝鮮や日本でも受けたとされる。彼の代表作**「長恨歌」**（ちょうごんか）は、玄宗（げんそう）皇帝と楊貴妃（ようきひ）との悲恋を描いたもの。当時、恋愛をテーマにした詩を描いたのは珍しく、一般大衆にも支持された。

中国文学における小説発展の歴史

中国で散文は六朝時代の「志怪（しかい）小説」、唐代の「伝奇小説」と発展していった。この時期までは文言（ぶんげん）小説（書き言葉）であった。中国の小説が白話（はくわ）小説（話し言葉）によって本格的に発展するのは、それから長い時間を経た明代である。明代の四大奇書は、**『水滸伝』**（すいこでん）**『三国志演義』**（えんぎ）**『西遊記』**（さいゆうき）**『金瓶梅』**（きんぺいばい）である。やがて清代を迎えると**『儒林外史』**（じゅりんがいし）や**『聊斎志異』**（りょうさいしい）といった怪異文学も高い支持を集める。しかし清代文学の最高峰は**『紅楼夢』**（こうろうむ）であろう。男女の三角関係という単純な図式ではあるが、繊細な人間描写が評価される傑作である。清は20世紀に入って辛亥（しんがい）革命によって滅びる。その後、中国の民主化に動いたのは**魯迅**（ろじん）だった。7年間日本に留学した魯迅は、1918年に小説**『狂人日記』**、1921年には**『阿Q正伝』**（あキューせいでん）を発表。こうした作品群のなかで、儒教文化のなかで抑圧され、近代化・民主化が立ち遅れた中国の現状を批判し、民主化のために文学のみならず思想家としても大きな功績を残した。

20世紀のロシア・ソ連文学

1917年にロシア革命が起き、ソ連が誕生した。ソ連政府は社会主義リアリズムを標榜し、この「現実を革命的発展において真実に、歴史的具体性を持って描く」思想に当てはまる作品を奨励した。この文芸思想の創始者ともいえるのがゴーリキーである。ゴーリキーは戯曲『どん底』などで、社会の底辺であえぐ人々を表現する。

1920年代には、ロシア・アヴァンギャルドという芸術運動が盛んになり、文学では未来派の詩人マヤコフスキーが活躍。1924年のレーニンの死後、スターリンが権力を握ると、社会主義リアリズムはソ連政府が唯一公認する表現方法とされた。ロシア・アヴァンギャルドは弾圧され、なかなか優れた作家は出てこなかった。そして、マヤコフスキーも自殺を選んだ。

20世紀中頃になるとトルストイらの影響と社会主義リアリズムを合わせ持った作家ショーロホフが活躍する。コサックたちを主人公に描いた『静かなるドン』はノーベル賞を受賞し、全世界的に認められた。

一方で、こうした動きに対して、一貫して反体制的な活動を続けたのがソルジェニーツィンである。彼はソ連の体制批判を行い、政治犯として強制収容所に収監される。これらの経験をもとに『収容所群島』や『イワン・デニーソヴィチの一日』を発表。東西冷戦のなか、ノーベル賞を受賞し、西側の国々に認められたが、国外追放処分となった。晩年はソ連崩壊とともにロシアに帰国し、モスクワで没した。

ショーロホフ

地　理

実践日　　年　月　日

正答数　　／7点

問1

日本の地理について、正しいものは○、誤っているものには×を付けよ。

（　）①日本の国土面積は37.8万㎢であり、北端は択捉島、南端は沖ノ鳥島、東端は南鳥島、西端は与那国島になる。

（　）②本州のほぼ中央部にはフォッサマグナと呼ばれる地溝帯が走っている。その西側の糸魚川・静岡構造線を境に東北日本と西南日本に分けられる。

問2

日本の各地域の気候の特徴を読んで、選択肢から①～⑤の地域を選びなさい。

（①　　　　　）

夏は海岸から吹く季節風の影響で雨が多く蒸し暑い。冬は大陸から吹く北西季節風が山脈を越えて乾いた風となって吹き下ろしてくるため、乾燥して晴天が多くなる。

（②　　　　　）

亜熱帯で年間を通じて気温が高くなる。梅雨や台風の影響を受けやすく、夏から秋にかけて降水量が多くなる。

（③　　　　　）

２つの山地に挟まれ、夏の南東季節風も、冬の北西季節風もさえぎられているため、年間を通じて降水量が少なく晴天が多い。

（④　　　　　）

冷帯湿潤気候で、冬の寒さは厳しく夏も冷涼である。年降水量は少なく、台風や梅雨の影響もほとんど受けない。

（⑤　　　　　）

冬は大陸から吹く北西季節風が、海上を通過する際に大量の水蒸気を含むため大雪になる。夏は気温も高くなる。

選択肢

沖縄県　太平洋側　四国　瀬戸内　南西諸島　九州　北海道　日本海側

正解／解説・補足

問1　①○　②○

問2　①太平洋側　②南西諸島　③瀬戸内　④北海道　⑤日本海側

日本列島の国土面積と特徴

日本列島の長さは南北におよそ3500kmあり、国土面積は37.8万km²。小さな国だと考えられがちだが、世界190カ国のなかでは60位ほどであり、ドイツやイタリア、イギリスなどよりも大きい。

そして最大の特徴と言ってもいいのが、地球の地層の表面を覆っているプレートの端に位置するということだろう。**ユーラシア（大陸）プレート、北米プレート、太平洋（海洋）プレート、フィリピン海プレート**という4つのプレートの境界線のところに位置しており、そのため地震が非常に多い。

なかでも**フォッサマグナ**とよばれる地質学的な溝が本州を2つに分けるように走っており、南北に連なる火山列ができたと考えられている。

日本の各地域の気候の特徴

太平洋側の気候は、梅雨時に雨が多く降り、夏には蒸し暑くなる。秋には台風の影響も受けやすい。沖縄などの南西諸島の気候は、1年を通じて気温が高いが、真夏の暑さは本州と比べてとくに暑いというわけではない。瀬戸内の気候は、夏は南東季節風が四国山地にぶつかり、風上側の四国の太平洋側に降雨をもたらす。冬は北西の**季節風**が中国山地にぶつかり、風上側の中国地方の日本海側に雪をもたらす。北海道は、全国で最も低い気温を記録する。日本海側は、新潟以北に積雪の多い地域が多くなる。

日本海側は積雪が多くなりやすい

沖縄などの南西諸島は年間を通じて気温が高い

地理

ヨーロッパの地理

実践日　　年　月　日

正答数　／11点

問1

①〜⑤の地域に当てはまる地形を選択肢から選びなさい。

①ノルウェー沿岸部（　　　　　）
②北ドイツ平原（　　　　　）
③イギリスやフランス、北ドイツの川（　　　　　）
④パリ盆地、ロンドン盆地（　　　　　）
⑤スペイン北西部沿岸部（　　　　　）

選択肢

モレーン　カルスト　ケスタ　フィヨルド　リアス海岸　エスチュアリー　サンクチュアリ

問2

各文章に当てはまる国を選択肢から選びなさい。

（①　　　　）住民の大部分がゲルマン系民族。人口はヨーロッパで旧ソ連構成国を含めても第2位。
（②　　　　）永世中立国でＥＵには加盟していない。公用語はドイツ語やフランス語など4つの言葉から成る。26州から成る連邦国家で、時計など精密機械工業が発展している。
（③　　　　）国土面積が世界1位。人口も日本を上回る。スラブ民族で東方正教が信じられている連邦国家。周辺国家との民族紛争が目立つ。
（④　　　　）住民の多くがアングロサクソン人。正しくは連合王国で4つの地方に分けられる。宗教はプロテスタント系が主に信仰されている。
（⑤　　　　）住民の多くがラテン系民族であるが、カタルーニャやバスクなど独立を望む民族が居住する。オリーブやブドウ、柑橘類などの地中海式農業が行われている。
（⑥　　　　）住民の多くがラテン系民族。宗教は主にカトリック。旧ソ連構成国を除けば、面積はヨーロッパ最大。肥沃な大地を持ち、ＥＵ最大の農業国。

選択肢

イギリス　フランス　ドイツ　スペイン　イタリア　ロシア　スイス　ポーランド

正解／解説・補足

問1	①フィヨルド　②モレーン　③エスチュアリー　④ケスタ　⑤リアス海岸
問2	①ドイツ　②スイス　③ロシア　④イギリス　⑤スペイン　⑥フランス

ヨーロッパの特徴的な地形

フィヨルドは、氷河によって浸食されたU字谷に海水が侵入したもの。**モレーン**は、大陸氷河が運搬してきた砂礫が堆積して形成された丘状地形。**エスチュアリー**は、河口部が沈水して形成されたラッパ状の入江。テムズ川、セーヌ川、エルベ川が代表。**ケスタ**は、硬い地層と軟らかい地層が交互に堆積した地形。**リアス海岸**は、V字谷が沈水して形成された海岸を指す。

スペイン北西部のリアス海岸

ノルウェーのフィヨルド

ヨーロッパ各国の特徴

ドイツは16州から成る連邦国家で、EUで一番の人口とGNI（国民総所得）。世界のGDPランキングで見ても、アメリカ、中国、日本に次ぐ世界第4位の規模。

スイスは、ドイツ、フランス、イタリア、オーストリア、リヒテンシュタインに囲まれた内陸国で、観光業が主要な産業となっている。**永世中立国**であり、多くの国際機関の本部が置かれている。

ロシアは、ヨーロッパ最大の人口を誇る大国。国土面積は2位のカナダを大きく引き離している。

イギリスの4つの地域とは、イングランド、スコットランド、ウェールズ、北アイルランドを指す。日本語での正式名称は**「グレートブリテン及び北アイルランド連合王国」**である。

スペインはアフリカに近いイベリア半島の大部分を占める。イスラム勢力に支配された過去があるため、イスラム教とキリスト教が混合した文化が残る。

フランスは、EU内でドイツに次ぐ第2位の人口を誇る国。面積はEU1位である。GNIも2位で、経済面でもドイツとともにEUを支える大国である。

北アメリカの地理

実践日　　年　月　日

正答数　　／10点

問1

北アメリカの各都市の気温・降水量のグラフで、空欄に入る都市名を選択肢から選びなさい。

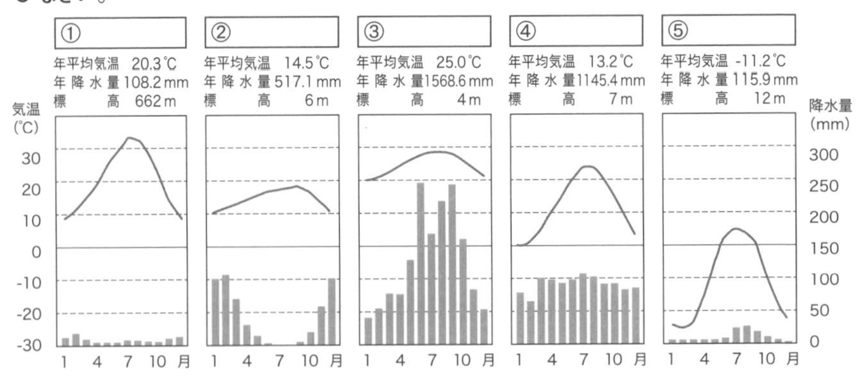

選択肢

サンフランシスコ　ラスベガス　バロー　マイアミ　ニューヨーク

問2

多民族国家アメリカについて、空欄に入る語句を選択肢から選びなさい。

アメリカ合衆国の北東部ニューイングランド地方から中西部には（①　　　）が多く居住する。彼らの多くはアメリカの政治・経済の中心的役割を果たしてきた歴史があり、（②　　　　）と呼ばれる。一方、（③　　　）は、17～18世紀にアフリカから奴隷として連れて来られた人々である。2009年に（③）初の大統領バラク・オバマが誕生したように、その地位は上がっているが、いまだ差別は根深いものがある。一方、メキシコとの国境を接するアメリカ南部からは（④　　　　　）の移住者が増えており、特にカリブ海諸国に近いフロリダ州でその人口比は高くなっている。（⑤　　　　）はカリフォルニア州やワシントン州など、太平洋側で多くなっている。

選択肢

黒人　アジア系　ラテン系　ヒスパニック　サラダボウル　ネイティブアメリカン　白人　WASP

正解／解説・補足

問1　①ラスベガス　②サンフランシスコ　③マイアミ　④ニューヨーク　⑤バロー

問2　①白人　②ＷＡＳＰ　③黒人　④ヒスパニック　⑤アジア系

北アメリカ各地の気候の特徴

北アメリカ（**アングロアメリカ**）は、西経100度線付近を年降水量500mmの等降水量線が通過する。この線の西側は乾燥地域で、東側は世界有数の農業地域で、湿潤地域になる。一方、北側は冷帯湿潤気候、南側は温暖湿潤気候。また、フロリダ半島の南端は熱帯雨林気候、西側中央部のラスベガスのある地域は砂漠気候になる。アラスカは冷帯湿潤気候、ツンドラ気候であり、アメリカ合衆国だけを見ても様々な気候が存在していることがわかる。

①のラスベガスは、気温は高くても雨がほとんどない砂漠地帯。②のサンフランシスコは、西海岸で地中海気候。③のフロリダのマイアミは温暖で雨量が多い。④のニューヨークは温暖湿潤気候だが、地理的に冷帯湿潤気候の地域と近いため、冬は雪が降り、気温も下がる。⑤のアラスカのバローは極度に気温が低い。

砂漠地帯にあるラスベガス

多民族国家アメリカの移民の歴史

アメリカの政治・経済などで中心的役割を果たしてきた、アングロサクソン系で、プロテスタントを信仰する白人を**WASP**（ワスプ）と呼ぶ。WASPはイギリスから入植してきた初期アメリカ移民の子孫でもある。**アフリカ系アメリカ人**は17～18世紀に南部の農園の奴隷として連れて来られた人々の子孫が多い。現在でも南部の綿花地帯に多く居住しているが、近年は北東部への移住者も増えている。**ヒスパニック**はスペイン語を母語とするラテンアメリカからの移住者。近年急激に増加し、白人に次ぐ人口となった。南部の州に多く居住している。アジア系は太平洋側やハワイ州を中心に居住し、人口も近年増加している。

中国の地理

実践日　　年　月　日

正答数　　／9点

問1

中国の各都市の気温・降水量のグラフで、空欄に入る都市名を選択肢から選びなさい。

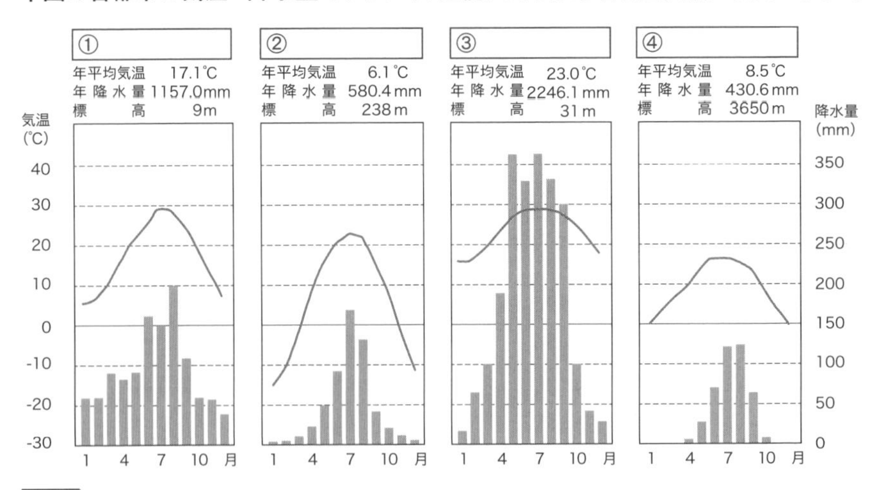

選択肢

ラサ　上海　香港　長春

問2

中国に暮らす民族について、空欄に入る語句を選択肢から選びなさい。

中国の人口は約14億3565万人（2018年）で、その約9割を占めるのは（①　　　）であり、残りの1割が55の少数民族となる。多民族国家の中国には、少数民族の中で人口が多く、まとまって居住している北部の（②　　　）、ホイ族、北西部の（③　　　）、南西部の（④　　　）、南部のチョワン族の5民族には、少数民族の自治を認めた自治区が設定されている。(②) や (④) はチベット仏教である（⑤　　　）、(③) はイスラム教を信仰する。

選択肢

ラマ教　ヒンドゥー教　モンゴル族　ロマ教　漢民族　ウイグル族　チベット族

正解／解説・補足

問1　①上海　②長春　③香港　④ラサ

問2　①漢民族　②モンゴル族　③ウイグル族　④チベット族　⑤ラマ教

中国各地の気候の特徴

中国の面積は世界4位で、西部の内陸部と海に近い東部では気候が異なる。西部には砂漠気候やステップ気候が広く分布する。標高の高いチベット高原では**ツンドラ気候**のところも多い。対して、東部は季節風の**モンスーン**を受け、夏は高温多湿、冬は寒冷・乾燥で少雨となる。東部の中でも、黄河流域の北部と長江流域の南部とでは気温差が大きくなる。

①の上海（シャンハイ）は東部に位置し、夏は高温で雨も多い。②の長春（チャンチュン）は北東部の都市で、冬は少雨で気温も低い。③の香港（ホンコン）は東部の南に位置し、冬も温暖だが夏の降雨量が非常に多い。④の内陸部チベット自治区のラサは、高山気候で夏でも気温は低く、降水量も少ない。

上海

中国の少数民族と人権・領土問題

5民族の自治区と中国本国には経済格差があり、少数民族からの経済格差への不満があるとされる。**チベット族**や**モンゴル族**はラマ教（チベット仏教）、**ウイグル族**はイスラム教を信仰し、仏教や道教を信じる漢民族と少数民族の間で、宗教面での対立もあると考えられる。その一例として、中国政府は、ウイグル自治区、チベット自治区で思想教育といった人権侵害を行っていると、西側諸国からの強い批判を受けている。また**「一国二制度」**を破棄させた香港の問題、台湾侵攻の問題、尖閣諸島の領有権をめぐる日本との問題など、民族問題以外にも中国の覇権主義が軋轢を生む事例は多い。

チベット自治区のラサ駅

地理

アフリカの地理

実践日　　年　月　日

正答数　／9点

問1

地図を見て、A～Fの地名を選択肢から選びなさい。

選択肢

- コンゴ川
- ニジェール川
- ゴビ砂漠
- 紅海
- サハラ砂漠
- ナイル川
- ペルシャ湾
- キリマンジャロ山
- マナスル山
- ヴィクトリア湖

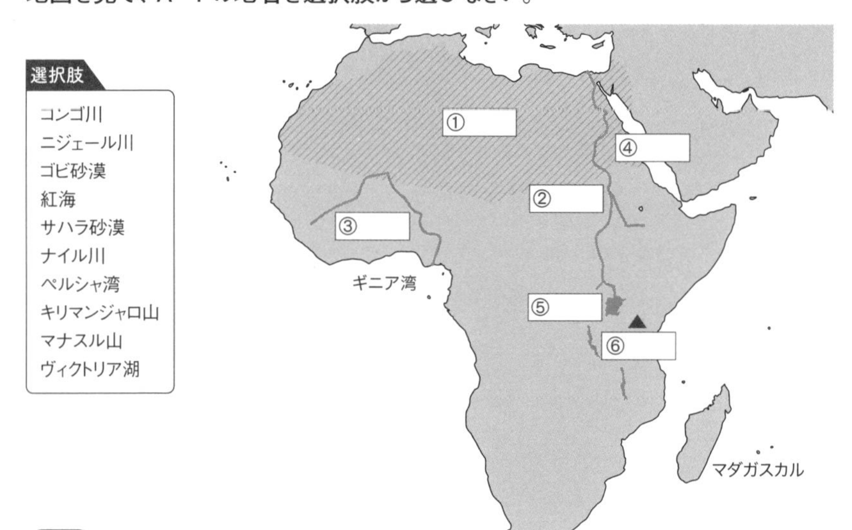

問2

アフリカ諸国の特徴を読んで、選択肢から①～③の国名を選びなさい。

(①　　　　　)

アフリカ北東部に位置する国で、民族・宗教的にはアラブ（イスラム）世界の国。ナイル河口に地中海と紅海を結ぶスエズ運河がある。人口はアラブ諸国で最も多い。

(②　　　　　)

北アフリカに位置する共和制国家。フランスが旧宗主国であった。アラブ諸国の一つで、世界10位の国土面積を誇る。

(③　　　　　)

アフリカ最南端に位置する、20世紀初頭にイギリスから独立した共和国。イギリス連邦加盟国で公用語も英語。かつてはアパルトヘイト政策で問題視されていた。

選択肢

エチオピア　南アフリカ　エジプト　アルジェリア　ナイジェリア

正解／解説・補足

問1　①サハラ砂漠　②ナイル川　③ニジェール川　④紅海　⑤ヴィクトリア湖　⑥キリマンジャロ山

問2　①エジプト　②アルジェリア　③南アフリカ

アフリカの各地域の特徴

アフリカは全体的に高原状の地形になっている。高度200m未満の土地は、七大陸の中で南極に次いで2番目に少なく、高度が全体に高い。

サハラ砂漠は、南極を除くと世界最大の砂漠である。アフリカ大陸の3分の1近くを占め、アメリカ合衆国とほぼ同じ面積である。**ナイル川**は、世界最長の河川であり、赤道が通過する**ヴィクトリア湖**などを水源とし、サハラ砂漠を縦断して地中海に注ぎ込む外来河川である。西アフリカを流れる**ニジェール川**は、**ギニア湾**に流れ込み、河口部に広大な三角州を形成する。**紅海**は、サウジアラビアとアフリカ大陸を分ける海。**キリマンジャロ山**は、タンザニア北部にあり標高5895mのアフリカ最高峰の山である。

サハラ砂漠

キリマンジャロ山

スエズ運河

アフリカ各国の歴史と特徴

エジプトは、かつてはイギリスの植民地で、**3C政策（カイロ、ケープタウン、カルカッタ）**の拠点だった。現在は、アフリカを代表するイスラム教国。アルジェリアは、アフリカ最大の国土面積。アラビア語が公用語のイスラム教国。南アフリカは、金やダイヤモンドの世界的産地であり、アフリカ最大の経済大国。

地理 ❻

中東（西アジア）の地理

実践日　　年　月　日

正答数　／12点

問1

地図を見て、①～⑧の地名を選択肢から選びなさい。

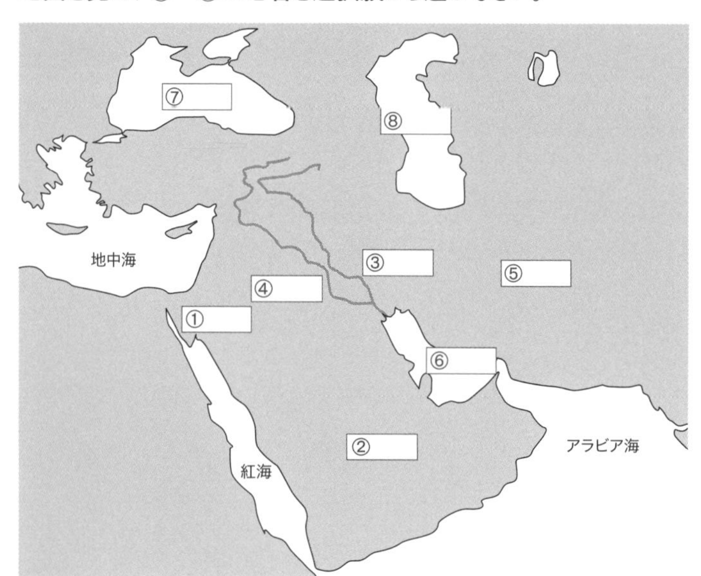

選択肢

イラン高原
カスピ海
アラビア半島
ティグリス川
シナイ半島
ユーフラテス川
黒海
ペルシャ湾

問2

西アジア諸国を示した表を見て、選択肢から①～④の国名を選びなさい。

国名	主な宗教	公用語	特徴
（①　　　　）	イスラム教スンナ派	アラビア語	世界2位の原油埋蔵量。絶対君主制国家。聖地メッカがある。
（②　　　　）	ユダヤ教	ヘブライ語	1948年建国。深刻なパレスチナ問題を抱える。
（③　　　　）	イスラム教スンナ派	トルコ語	ほぼアナトリア半島に位置し、地理的にアジアとヨーロッパをつなぐ。
（④　　　　）	イスラム教シーア派	ペルシャ語	1979年の革命によって王朝が倒され、イスラム共和制に。

選択肢

シリア　トルコ　イスラエル　イラク　イラン　サウジアラビア

正解／解説・補足

問1　①シナイ半島　②アラビア半島　③ティグリス川　④ユーフラテス川
⑤イラン高原　⑥ペルシャ湾　⑦黒海　⑧カスピ海

問2　①サウジアラビア　②イスラエル　③トルコ　④イラン

中東の各地域の特徴

①の**シナイ半島**は、西側をスエズ運河が通り、東側がイスラエルになる。②のアラビア半島は、サウジアラビアを中心に多くの中東諸国がこの半島に位置する。③の**ティグリス川**と④の**ユーフラテス川**は、メソポタミア文明発祥の地域。ほぼ現在のイラクとなる。

⑤の**イラン高原**にあるイランの首都テヘランも高度が高い都市として知られる。⑥の**ペルシャ湾**は、近年、ホルムズ海峡でのタンカーへの攻撃が深刻な安全保障問題になっている。⑦の**黒海**は、ロシア、ウクライナに面し、海洋進出のための重要拠点とされている。⑧の**カスピ海**は、世界最大の湖で、5カ国が面する。

イランの首都テヘラン

中東各国の特徴と歴史

サウジアラビアは、アラビア半島に広大な国土を持ち、面積は世界12位。絶対君主制の国家で、受刑者への刑罰や、女性の権利など、人権面で国際社会からの批判が大きい。

イスラエルは、ユダヤ人ネットワークにより大国アメリカにも大きな影響力を持つ。

トルコは、かつてオスマン帝国として巨大な版図を支配した歴史がある。

イランは、インド・ヨーロッパ語族のペルシャ語が公用語。ちなみにアラビア語はアフリカ・アジア語族。

ラテンアメリカの地理（南アメリカ、中央アメリカ）

実践日　　年　月　日

正答数

／10点

問1

ラテンアメリカについて、空欄に入る語句を選択肢から選びなさい。

ラテンアメリカは、メキシコ、パナマに加え、カリブ海の島嶼部などを指す（①　　　　　　　）と（②　　　　　　）以南の南アメリカとを合わせた地域である。（①）はメキシコ高原、西インド諸島など、大部分が新期造山帯になっている。南アメリカにあるギアナ高地と（③　　　　　）高原は、有名な鉄鉱石の産出地であり、（④　　　　　　　）を水源として大西洋に流れる（⑤　　　　　）川は世界最大の流域面積を持つ。

選択肢

アルゼンチン　アンデス山脈　ブラジル　ラプラタ　アマゾン　中央アメリカ　コロンビア

問2

ラテンアメリカ諸国の特徴を読んで、選択肢から①〜⑤の国名を選びなさい。

（①　　　　　）

南米南部に位置し、ヨーロッパに似た気候のためヨーロッパ人の居住に適していた。もともと先住民が少なかったこともあり、国民の多くが白人。

（②　　　　　）

南米北部に位置し、原油埋蔵量世界一を誇る。南米では珍しくサッカーより野球人気の高い国である。

（③　　　　　）

南米最大の国土面積を誇り、世界でも５位。人口も世界６位の南米の大国。サッカーが盛んでワールドカップの優勝回数は世界１位を誇る。日系人が多い。

（④　　　　　）

中米北部、アメリカ合衆国に接する。かつてアステカ文明をスペインに滅ぼされた。

（⑤　　　　　）

カリブ海に位置する社会主義国家。1962年には、核ミサイル基地建築によるアメリカとの危機が生じたが、ソ連がミサイルを撤去し、危機は回避された。

選択肢

ブラジル　メキシコ　アルゼンチン　キューバ　ベネズエラ　ジャマイカ　ペルー

正解／解説・補足

問1　①中央アメリカ　②コロンビア　③ブラジル　④アンデス山脈　⑤アマゾン

問2　①アルゼンチン　②ベネズエラ　③ブラジル　④メキシコ　⑤キューバ

ラテンアメリカの各地域の特徴

ラテンアメリカは、中米（中央アメリカ）と南米（南アメリカ）の総称である。ラテンアメリカの国は歴史的に、スペイン、ポルトガルの植民地になり、カトリックを信仰する国が大部分であり、ブラジルでポルトガル語、それ以外の国ではスペイン語を公用語にしている国。最北端がメキシコの中央アメリカは、大部分が環太平洋造山帯に属する新規造山帯になる。南アメリカ最北部の国はコロンビアで、これより南が南アメリカとなる。

ポルトガル語を公用語にしているブラジル

ラテンアメリカ各国の特徴と歴史

アルゼンチンは、隣国ウルグアイとともに白人の多い国家。ベネズエラは、原油埋蔵量世界一だが貧富の差は大きく、スラムも多い。ジャマイカは、**ボブ・マーリー**が有名。独自の元首を持たず、イギリス国王を元首とする。ブラジルは、南米で唯一ポルトガル語を公用語とする国。かつて、メキシコは**アステカ文明**、ペルーは**インカ帝国**が栄え、両国には世界遺産認定された遺跡が多い。キューバで起こった**「キューバ危機」**は、冷戦時代の東西陣営の対立が最も顕著になった事件といえる。

かつてインカ帝国が栄えたペルーのマチュピチュ遺跡

東南アジア・南アジアの地理

実践日　　年　月　日

正答数　　／11点

問1

ASEANについて、空欄に当てはまる言葉を選択肢から選びなさい。

ＡＳＥＡＮは1967年に5カ国で発足し、現在は10カ国。（①　　　）は東南アジアで唯一、植民地化を経験しなかった国で、天然ゴムの生産量は世界最大。宗教は主に（②　　　）が信仰されている。（③　　　　　）はマレー系住民を中心した多民族国家で、マレー系住民の多くは（④　　　　　）を信仰する。（⑤　　　　　）は中国系住民を中心とした多民族国家。（⑥　　　　　）はスマトラ島、ジャワ島など1万7000以上の島からなる島嶼国家で、人口、面積ともに東南アジア1位。宗教は（④）。（⑦　　　　　）も島嶼国家であり、東南アジア2位の人口。国民の大半はキリスト教のカトリックを信じている。（⑧　　　）は、東西冷戦下の1960年代に戦争が起きたが、終戦後に南北が統一され、社会主義国家となった。1986年から市場経済と対外開放を認めるドイモイ政策が実施された。

選択肢

フィリピン　インドネシア　シンガポール　マレーシア　タイ　ベトナム　仏教　イスラム教　ヒンドゥー教

問2

インドについて、正しいものは○、誤っているものには×を付けなさい。

（　）① 第二次世界大戦までは南アジア全域がイギリスの植民地だったが、1947年にヒンドゥー教の多い地域がインド、イスラム教の多い地域がバングラデシュとして独立した。

（　）② カシミール問題はインド北部の地域をめぐるパキスタンとの領土問題である。1947年の独立時にヒンドゥー教徒が藩王だったためインドの領土になったが、カシミール地方はイスラム教徒が多かったためその帰属が問題になっている。

（　）③ インドは国土面積世界7位。人口が世界2位。宗教はヒンドゥー教が多数。言語はヒンディー語が公用語だが、補助公用語として英語のほか22の言語がある。

正解／解説・補足

問1　①タイ　②仏教　③マレーシア　④イスラム教　⑤シンガポール　⑥インドネシア　⑦フィリピン　⑧ベトナム

問2　①×　②○　③○

東南アジア各国の特徴と歴史

ASEANは「東南アジア諸国連合」の略。タイは上座仏教を信じる人が多く、首都・バンコクに人口が極端に集中する。マレーシアは世界有数のパーム油の生産国。マレー系住民の他に中国系やインド系が多い。シンガポールは、1963年にイギリスから独立。現在、GNI（国民総所得）がASEANで1位。インドネシアは、首都・ジャカルタのあるジャワ島に人口が集中。米の生産量では中国、インドに次いで世界3位。フィリピンは、16世紀から約300年間、スペインの植民地だった。その後、アメリカ、次いで日本の支配下になったが1946年に独立。ベトナムは、コーヒー豆の生産量がブラジルに次ぐ2位。カンボジアは**ポル・ポト**の独裁政権により発展が遅れたが、民主化された現在は順調に発展を続ける。他、ASEAN加盟国は、ブルネイ、ラオス、ミャンマー。

ASEANの国章

南アジア各国の歴史と特徴

①はバングラデシュではなく、**パキスタン**。1948年には仏教徒の多いスリランカがイギリスから独立。バングラデシュは1971年に独立したが、同国もイスラム教徒が多い。

②にある**カシミール地方**は、南部をインドが支配、北部をパキスタンが支配。東部を中国が支配している。

③にあるようにインドの人口は世界2位だが、2027年前後には世界1位になるとみられている。また、インドでは**カースト制度**は、現在も地域によって差別が強く残る。

世界遺産・1

実践日　　年　月　日

正答数
／13点

問1

世界遺産について、空欄に入る語句を選択肢から選びなさい。

「世界遺産」とは、1972年に（①　　　　）総会で採択された（②　　　　　）に基づき、世界遺産リストに記載された、「顕著な普遍的価値」を持つ建造物や遺跡、景観、自然を指す。どのような信仰や価値観を持つ人でも、同じように素晴しいと感じる価値のことで、世界遺産は人類共通の財産と言える。世界遺産は、人類が作り上げた（③　　　　）と、地球の歴史や動植物の進化を伝える（④　　　　）、その両方の価値を持つ（⑤　　　　）に分類される。世界遺産としての顕著な普遍的価値が危機に直面している遺産は（⑥　　　　）に記載される。なお、日本が（②）に参加したのは1992年だったため、世界遺産の登録は遅れたが、2021年7月時点で25の登録がある。

選択肢

世界遺産条約　文化遺産　ユニセフ　複合遺産　危機遺産リスト　ユネスコ　シュリーランガパトナ条約
自然遺産

問2

ヨーロッパの世界文化遺産について、空欄に入る語句を選択肢から選びなさい。

世界遺産数の最も多い国はイタリア。コロッセオといった古代ローマの遺跡のほか、（①　　　　）のサンピエトロ大聖堂が有名。世界4位の登録数を誇るのはスペイン。（②　　　　）にある建築家ガウディによる教会（③　　　　　　）は、1882年の着工から現在も建築中。グラナダの（④　　　　　　）はイスラム建築の華として多くの観光客を集める。同じく4位のフランスには、（⑤　　　）のセーヌ河岸が世界遺産としてあり、北部には満潮時に島となるカトリックの修道院（⑥　　　　　　　）がある。遺産数3位のドイツには、ゴシック建築の代表とされる（⑦　　　　　）がある。

選択肢

バッキンガム宮殿　モンサンミッシェル　ケルン大聖堂　フィレンツェ　バチカン　バルセロナ　マドリード
パリ　サグラダファミリア　アルハンブラ宮殿

正解／解説・補足

問1　①ユネスコ　②世界遺産条約　③文化遺産　④自然遺産　⑤複合遺産
⑥危機遺産リスト

問2　①バチカン　②バルセロナ　③サグラダファミリア　④アルハンブラ宮殿
⑤パリ　⑥モンサンミッシェル　⑦ケルン大聖堂

世界遺産の登録を決めるユネスコ

世界遺産は、ユネスコの世界遺産委員会の審議を経て決定される。世界遺産として**「顕著な普遍的価値」**が失われた場合は、世界遺産リストから抹消されることもあり、2021年7月までに3件が抹消されている。現在、世界遺産条約締結国は190か国を超え、世界遺産リスト登録数は1100件を超えている。

アルハンブラ宮殿

ヨーロッパに数多く残る世界文化遺産

ヨーロッパには、美しい文化遺産が現代まで破壊されることなく多数残る。イタリアでは、**ピサのドゥオモ広場**、**ナポリ歴史地区**、世界一美しい海岸とされる**アマルフィ**など、世界遺産が有名観光地となっている。1492年までイスラム教国に支配されていたスペインは、イスラム教時代の建造物が残り、多くが世界遺産になっている。その代表が**アルハンブラ宮殿**で、アラベスク模様など絢爛な美を誇り、さらに、**古都トレド**など、イスラム文化と融合した美しい世界遺産の町もある。フランスにも**ヴェルサイユ宮殿**など、歴史的に重要な世界遺産が多数ある。ドイツの**ケルン大聖堂**は13世紀中頃から建築が始まり、1880年に完成された世界最大のゴシック教会。この他、ギリシャ・アテネの**アクロポリス**、ロシアの**クレムリン**、イギリスの**ロンドン塔**など、ヨーロッパには数えきれないほどの世界遺産があるのだ。

ヴェルサイユ宮殿

地理

実践日　　年　月　日

地理⑩ 世界遺産・2

正答数　／12点

問1

アメリカ大陸、アジアの世界文化遺産について、正しいものは○、誤っているものには×を付けなさい。

（　）① アメリカの自由の女神は、ニューヨーク港内リバティ島にあり、18世紀にアメリカが独立した際に造られたものである。

（　）② タージ・マハルはインド北部のアーグラにあるムガル皇帝シャー・ジャハーンが妃のために造った総大理石の白亜の墓標である。

（　）③ 万里の長城は中国北辺に築かれた城壁で、前漢の武帝の時代に初めて築かれた。

（　）④ メンフィスとその墓地遺跡は、エジプトのギザの三大ピラミッドなどを指す。

（　）⑤ オーストラリアのシドニーにあるオペラハウスは、1959年に着工し、1973年に完成した比較的歴史の浅い世界遺産である。

（　）⑥ エルサレムの旧市街とその城壁群は古代イスラエル王国の都である。だが、ユダヤ教徒、イスラム教徒、キリスト教徒にとって重要な地区であり、複雑な問題を抱える。

（　）⑦ ナスカの地上絵は、マチュピチュとともにチリを代表する世界遺産である。

問2

日本の世界文化遺産について、空欄に入る語句を選択肢から選びなさい。

日本初の世界遺産は、奈良県の（①　　　　）地域の仏教建造物、兵庫県の（②　　　　）である。翌年、古都・（③　　　）の文化財が登録された。この他、白川郷・五箇山の（④　　　　　　）や、広島の（⑤　　　　　）などがある。

選択肢

京都　合掌造り集落　東大寺　彦根城　江戸　原爆ドーム　法隆寺　姫路城

正解／解説・補足

問1　①×　②○　③×　④○　⑤○　⑥○　⑦×

問2　①法隆寺　②姫路城　③京都　④合掌造り集落　⑤原爆ドーム

アメリカ大陸、アジアの世界文化遺産

①の自由の女神は、独立100周年を記念して、19世紀にフランスから贈られたもの。②の**タージ・マハル**が造られたのは17世紀。③の**万里の長城**は、秦の始皇帝が初めて造らせたもので、武帝は大々的な追加築造を行った。中国は世界遺産の数で、イタリアに次ぐ世界2位。⑦チリではなく、ペルーの世界遺産。

タージ・マハル

万里の長城

日本の世界遺産

2021年7月時点で、日本の文化遺産は20。日本が世界遺産条約を締結した1992年の翌年、**法隆寺**と**姫路城**が登録された。以後、**京都**、**合掌造り集落**、**原爆ドーム**、**厳島**（いつくしま）**神社**、**奈良の文化財**、**日光の社寺**、**琉球王国**と遺産登録が続いた。21世紀に入っても、**紀伊**（きい）**山地**、**石見銀山**、**平泉**、**富士山**、**富岡製糸場**など、多くの世界遺産登録が続いている。

姫路城

原爆ドーム

地理

おわりに

本書を最後まで読み終えた読者には「リベラルアーツ」の重要さが深く理解できたのではないだろうか。

「はじめに」で記したようにグローバル化とIT化が進んだ現代のビジネスシーンに生きるビジネスパーソンには、今まで以上に異文化への理解が求められている。

ヒトやモノ、情報、お金がデジタルを介して、瞬時につながる現代社会においては、ビジネスの形態は目まぐるしく変化している。いわゆるGAFA（Google、Apple、Facebook、Amazon）と呼ばれる巨大IT企業の出現によりかつて常識とされていたモノの考え方、パラダイムが通用しなくなっているのだ。

そんな激動の時代だからこそ、最後に武器になるのが「教養＝リベラルアーツ」なのだ。たとえば、2021年8月にアフガニスタンの首都カブールが反政府勢力タリバンによって陥落し、米国がつくったアフガニスタン政府は崩壊して世界に衝撃を与えたが、このニュースを理解するためには本書のP24の「イスラム国」で解説した知識が役に立つだろう。政権を掌握したタリバンを理解するには、それと敵対する過激派組織「イスラム国」について知る必要があるからだ。国際情勢を的確に読む力は幅広い教養から生まれ、それは必ず何らかの形であなたのビジネスに役に立つだろう。

加えて現在世界はコロナ渦の真っ只中。「withコロナ・afterコロナ」の時代においては、リモートワークの推進などによる働き方改革、ウーバーイーツなどに見られる新たなビジネスモデルの出現、巣ごもり需要によるネットショッピングの増加などの消費者行動の変化、5GやAI、IoTの発達による企業のDX（デジタルトランスフォーメーション）の深化……など、経済や社会はドラスティックな変化に迫られている。極端な話、今あなたが就いている職業が5年先も存在する保証はどこにもないのだ。

そして、こうした変化を前にして武器になるのが、繰り返しになるがリベラルアーツという基礎教養なのだ。基礎教養を身につけることにより、あなたはより柔軟で臨機応変な思考や行動を取れるようになるだろう。変化の激しい時代だからこそ、人類が長い時間かけて培ってきた知識があなたにさまざまな面で生きるうえでのヒントを与えてくれるのだ。

リベラルアーツとは、人間としての教養の土台を築くためのものである。幅広く深い知識を身につけることで人生を豊かにし、また、それらに裏打ちされた奥行きのある人間になるための学問と言える。

その証拠にこのリベラルアーツを、グローバル人材やリーダーを育成するための教育に取り入れる企業が増加している。事業のグローバル化やDXによる企業戦略の抜本的な見直し、社会・産業構造の変化に対応するためには、幅広く深い知見を持ち、大局的かつ横断的に物事を捉られるような論理的思考力や発想力を備えた人材を育成していくことが求められているのだ。

本書を読むことが一つのきっかけになって、「withコロナ・afterコロナ」の混沌とした今の時代を生き抜くための武器（＝知識）を、あなたが手に入れられるようになることを願ってやまない。

佐藤優

撮影：中川晋弥

■STAFF
[編集協力] 佐藤裕二、金崎将敬(株式会社ファミリーマガジン)
[カバーデザイン] 金井久之(TwoThree)
[本文デザイン] 内藤千鶴(株式会社ファミリーマガジン)
[DTP] 武中祐紀
[監修者撮影] 森清、中川晋弥
[写真] Wikipedia: The Free Encyclopedia
[校正] 鷗来堂

監修者略歴

佐藤優（さとう・まさる）

1960年、東京都生まれ。作家、元外務省主任分析官。1985年、同志社大学大学院神学研究科修了。外務省に入省し、在ロシア連邦日本国大使館に勤務。その後、本省国際情報局分析第一課で、主任分析官として対ロシア外交の最前線で活躍。2002年、背任と偽計業務妨害容疑で逮捕、起訴され、2009年6月に執行猶予付き有罪確定。2013年6月、執行猶予期間を満了し、刑の言い渡しが効力を失った。『国家の罠 外務省のラスプーチンと呼ばれて』（新潮社）で毎日出版文化賞特別賞受賞。『自壊する帝国』（新潮社）で新潮ドキュメント賞、大宅壮一ノンフィクション賞受賞。『人をつくる読書術』『還暦からの人生戦略』（ともに青春出版社）、『勉強法 教養講座「情報分析とは何か」』（KADOKAWA）、『「悪」の進化論 ダーウィニズムはいかに悪用されてきたか』（集英社インターナショナル）、『見抜く力 びびらない、騙されない。』（プレジデント社）など、多数の著書がある。

撮影：森清

1日1テーマ解けば差がつく

大人の教養ドリル

2021年11月1日　第1刷発行

監修者　佐藤優
発行者　櫻井秀勲
発行所　きずな出版
東京都新宿区白銀町1-13　〒162-0816
電話03-3260-0391　振替00160-2-6333551
https://www.kizuna-pub.jp/

印刷・製本　モリモト印刷
©2021 Masaru Satou, Printed in Japan
ISBN978-4-86663-152-3

好評既刊

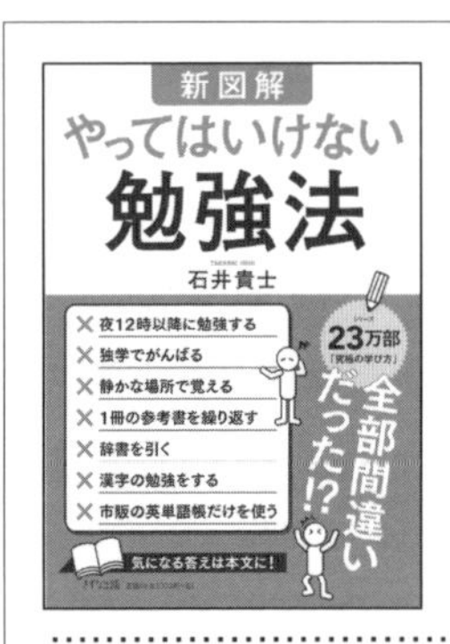

【新図解】

やってはいけない勉強法

23万人を変えた究極の学び方がここに！
「えっ、そうだったの!?」と思わず言いたくなる、目からウロコのメソッドがずらり。
記憶法、英語勉強法、ノート術、読書法、勉強習慣…あなたの学びを根こそぎ変える！

定価 1000 円（税別）

最短で結果が出る

「超・学習法」ベスト50

学び方を学べば、誰でもどんな分野でも短時間で効率の良い学習ができる！
「マインド」「記憶」「読書」「英語」「集中力」「オンライン」といったテーマごとに、学習するうえで必要なワザを余さず公開！

定価 1500 円（税別）

3分でわかる！ お金「超」入門

1項目3分で読める！ 最強のお金入門書！
書いている通りに実践できる方法を、イラストや図解でわかりやすく紹介。
「備える」「稼ぐ」「使う」「貯める」「増やす」…
5つの視点で、お金の情報を完全網羅！

定価 1400 円（税別）

書籍の感想、著者へのメッセージは以下のアドレスにお寄せください

E-mail：39@kizuna-pub.jp

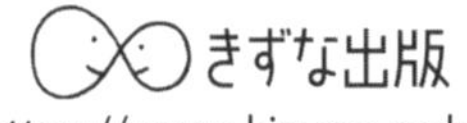

https://www.kizuna-pub.jp